D1623037

RAVISSEUR

LEÏLA MAROUANE

RAVISSEUR

ÉDITIONS JULLIARD

© Éditions Julliard, Paris, 1998
ISBN 2-266-09392-4

À ma mère et à mon père. Toujours.
Pour Aïcha-Nina et la petite Abla.

Les drapeaux sont en berne et l'orchestre compte ses éclopés.

Olivier Py, *Le Visage d'Orphée*

Première partie

1.

Mon père gisait sur le canapé pendant que ma mère convolait en justes noces avec Youssef Allouchi.

Le mari de ma mère habitait la petite maison d'en face. Nous avions pleine vue sur son jardin qui embaumait nos balcons, et ni les coupures d'eau ni la sécheresse n'eurent jamais raison de ses fleurs honorées, toutes les nuits que Dieu faisait, par les intarissables mélodies d'un rossignol.

Autrefois, il y a des lustres, lorsqu'il arrivait à mes parents d'aller dans leur bled natal, mon frère faisait venir chez nous ses copains à qui, moyennant quelques pièces de monnaie, il permettait de contempler ce qu'on appelait alors le Jardin des Mille Senteurs et Couleurs. Ou quelque chose dans ce genre-là.

Youssef Allouchi avait cinquante-cinq ans et ne s'était jamais marié. Dans le quartier, on racontait qu'une femme d'un autre monde, une djinnia, le possédait, et les plus médisants le suspectaient d'impuissance sexuelle. Quelle que soit la raison de son célibat, elle avait paru suffisante à mon père pour le fiancer à ma mère.

Youssef Allouchi était beau – il avait le teint clair, les mains douces, les jambes d'un jeune homme et les yeux qui s'étiraient vers le haut quand il souriait. Il était aussi, et de loin, notre voisin le plus raffiné et le plus cultivé. Écrivain public, poète, un peu philosophe, il maîtrisait le français aussi bien que l'arabe, et peut-être bien d'autres langues.

Lorsqu'il n'était pas sur la place de la mairie, où il posait son bureau, sa machine à écrire et ses stylos, on le voyait au jardin public du quartier, lisant Racine, El Maari, ou le Coran... Et, si vous passiez par là, il vous offrait quelques instants de lecture, dans la langue de votre choix. Pour nourrir l'esprit, disait-il avec une sensualité à vous faire frissonner de la tête aux pieds, à mettre vos frusques en lambeaux. Et les médisants d'y voir les pouvoirs de la femme de l'autre monde.

À l'exception d'une mère, une chrétienne, peut-être bien une juive – on ne savait plus –, morte une dizaine d'années plus tôt, et qu'il avait particulièrement choyée, on ne lui connaissait pas de famille, ni de relations qu'il valût la peine de qualifier d'amicales. Pourtant, depuis la mort de sa mère, tous les trois mois, tôt le matin, on le croisait sur le chemin de la gare, sa petite valise de cuir noir dans une main, sa machine dans l'autre, une sacoche bourrée de livres sous le bras.

Aux questions indiscrètes, il répondait, impassible :

– Les obligations du travail, vous savez...

On n'en savait pas plus long.

Il revenait trois ou quatre semaines plus tard, la

démarche allègre, le teint hâlé, le sourire rivalisant avec le plus ardent des soleils. Où allait-il ? Qui voyait-il ? Après avoir définitivement écarté la possibilité d'un rendez-vous galant, on l'imagina en train de s'adonner aux extravagances que nous inspiraient son éloquence et sa culture : tenir des discours, rédiger des tracts, organiser des meetings... Oui, peut-être préparait-il un coup d'État qui bientôt rendrait célèbre notre quartier... Évidemment, on ne faisait que rire ; une façon de taquiner celui qui nous échappait par ses différences... Qui, mon Dieu, à l'époque, pouvait prétendre s'engager dans les voies obscures et tumultueuses d'une révolution ? ou même insinuer que son voisin s'y lançât ? Et même si nous n'en parlions qu'à demi-mot, au loin mais tout près de nos portes, aujourd'hui la terre vibrait, tremblait, s'écartelait et engloutissait des humains sous le regard approbateur d'hommes sans visage déclamant des Textes d'eux seuls connus. On arrêta donc les plaisanteries de ce genre, d'ailleurs les escapades de notre érudit voisin n'intéressaient plus personne.

Ma mère comprit très vite qu'elle n'échapperait pas à la décision de mon père de la remarier et s'y résigna, allant jusqu'à émettre le vœu d'être représentée par lui lors de la cérémonie. Requête rejetée par notre homme de loi, le rôle de tuteur légal de mon père étant désormais nul et non avenu. Mais lorsqu'elle sut le choix de mon père, ma mère s'enlisa dans les affres du désespoir. Non que la virilité de Youssef Allouchi lui importât, mais les gorges alentour déjà s'ébouillantaient.

2.

La veille de la cérémonie, l'imam qui nous conseillait dans nos affaires religieuses vint s'enquérir du bon déroulement des fiançailles. Ma mère se jeta à ses pieds, les baisa et s'y cramponna.

— S'il faut absolument que je me remarie, que ce soit avec quelqu'un de normal, et loin, très loin, que ce ne soit pas dans le quartier, supplia-t-elle.

— Il ne manquerait plus qu'elle le choisisse, ce mari ! hurla mon père quand l'imam lui fit part du refus de ma mère.

— On ne répudie pas sa femme à la légère et par trois fois, dit l'imam de sa voix au timbre clair.

— On ne va pas remettre ça, rétorqua mon père, l'air contrit. Aujourd'hui, il s'agit de célébrer ce mariage...

— Elle est en droit de s'y opposer.

— Et qui me l'épousera, sinon Youssef Allouchi ?

— Dieu y pourvoira, dit l'imam.

— Nous sommes bien d'accord, mais si on ne trouve personne...

— Dieu en aura voulu ainsi...

— Dieu nous a indiqué Youssef Allouchi.

– Un mariage doit être consommé, lâcha enfin l'imam.

– Ne soyez pas médisant, répliqua mon père en regardant l'homme de biais. Vous êtes imam, allons...

– Vous savez bien ce que je veux dire, souffla l'imam, les pommettes rougissantes.

– Youssef Allouchi, qui connaît le Coran aussi bien que vous, sait qu'un mariage doit être consommé.

– Pourquoi ne pas attendre un peu...

– On ne fait que ça, attendre ! rugit de nouveau mon père.

Il respirait et transpirait comme un jour de grand simoun.

– Ça fait trois mois que nous attendons, reprit-il avec calme. Ça fait trois mois que la mère de mes enfants ne dort pas chez elle... Si cette répudiation n'est pas réparée, que ferai-je des enfants ? J'en ai beaucoup, vous le savez bien, et de très jeunes enfants, le petit dernier, qui d'ailleurs est encore une petite dernière, est au berceau... Six filles... Il y a six filles sous ce toit qui ont besoin de leur mère...

Il en avait le tournis, notre auteur, de nous dénombrer. Il se souvenait enfin de nous, de nos âges, de nos travers... Et comme à chaque cataclysme familial, il se mit à dépeindre nos défauts avec une telle ardeur que nous finissions par en être convaincues.

– Samira, dix-neuf ans, sournoise, fugueuse, menteuse, à la mémoire soi-disant trouble. Une belliqueuse, oui ! Une belliqueuse capable à elle seule de déclencher des discordes tribales. Et puis Yasmina et Amina, seize ans chacune, ce qui nous fait trente-deux, collées l'une à l'autre toute la sainte journée, bavardes et souillons, qui traînent au collège, une dépense inutile pour l'État et moi-même... D'ailleurs je me demande pourquoi on ne les met pas dehors. Couturières, elles finiront. Au mieux !

Il servit un thé à l'imam. Le liquide gicla et déborda sur la table, tant il tremblait. Il renonça alors à remplir son propre verre et reprit :

– Noria, treize ans, qui trébuche sur les mots et passera sa vie à chuinter. En plus, elle marche en dormant ou dort en marchant, peu importe, en tout cas, elle ne fonctionne pas comme il faut. Combien de fois ne l'a-t-on pas rattrapée au coin de la rue ? Fouzia, onze ou douze ans, je ne sais plus... À sa naissance, alors qu'elle poussait ses premiers vagissements, mon plus beau chalutier a pris feu, un jour où il pleuvait des cordes, poursuivit-il. Aujourd'hui encore, il lui suffit d'ouvrir la bouche pour qu'une catastrophe nous tombe sur la tête... La dernière fois qu'on l'a entendue, la vésicule de ma pauvre tante, que Dieu ait son âme, a explosé. Zanouba ou Manouba, peu importe, arrivée depuis peu, que personne n'attendait, née robuste comme un ours et pourtant bien avant terme, montre déjà des signes peu réjouissants. Dieu seul sait sous quelle funeste forme elle quittera ses langes... Six filles qui ne sauraient pas cuire un œuf sans leur mère. Six filles qu'il faudra élever, qui ne seront jamais de vraies femmes, des tarées, quoi ! qu'il va falloir caser au bras de fer, à la force du poignet et du portefeuille.

D'ailleurs la plus grande est définitivement incasable.

Là-dessus, il émit un long et méditatif soupir. Mais il continua :

– Qui voudrait d'une fille qui n'est plus jeune fille ? Ne prenez pas cet air étonné, l'imam, dans ce quartier, il n'y a pas de secret inviolable. Ça ne me bouleverse plus, plus rien ne me bouleverse, du reste. Je suis condamné à voir et à avoir cette simulatrice sous mon toit jusqu'à la fin de mes jours. Pour un milliard de dollars, on ne m'en débarrasserait pas.

La voix de mon père était forte et caverneuse ; son nez et son front luisaient comme des morceaux de lard, et, lorsqu'il se taisait, sa bouche se fermait en un triste croissant de lune.

– Si je ne reprends pas ma femme, croyez-vous que j'en trouverais une pour s'occuper de ma ménagerie ? reprit-il d'une voix vive et saccadée.

Il se tut un bref instant. Puis sur le ton de la confidence :

– Il n'y a pas que les filles, d'ailleurs. Même le garçon, l'aîné, ne vaut pas un clou. Au lieu de s'intéresser aux études, il s'est laissé pousser les favoris et a eu l'ingénieuse idée de se marier. Pourquoi ? j'ai demandé. Pour la sunna d'Allah et de son Prophète, il a répondu. À vingt ans, Omar, mon fils unique, est déjà père de famille... Pour la sunna d'Allah et de son Prophète, da dada, da dada, dit mon père, déformant sa voix pour imiter celle de mon frère.

Puis devant le froncement de sourcils et le regard réprobateur de l'imam :

– Je ne veux pas vous offenser, sidi, mais sincè-
rement et entre nous, se marier à cet âge, à une
époque où les hommes, et même les femmes, vont
sur la lune, où Mars est une piscine... Vous voyez
ce que je veux dire... Bref, je le destinais à un avenir
autre qu'une paternité juvénile...

L'imam écoutait sans broncher, parfois il hochait
la tête de droite à gauche, puis de gauche à droite,
comme s'il cherchait à discerner le rapport entre les
propos de mon père et le refus de ma mère...

Et notre père le superstitieux :

– Si cet enfant n'était pas né, je n'aurais pas
répudié ma femme...

Puis :

– Comme si j'avais besoin d'un petit-fils...

L'imam dodelina de nouveau de la tête, lissa son
soupçon de moustache, toussota et dit, indémontable :

– On ne peut pas obliger une femme à épouser
un homme dont elle ne veut pas.

Mon père se souleva de tout son corps.

– Qui t'a enseigné ces vérités, l'imam ?

Ce tutoiement soudain n'augurait rien de bienveil-
lant. Tout imam qu'il était, l'homme, qui maintenant
frissonnait dans sa gandoura blanche, ne couperait
pas au flot d'insultes et d'injures que mon père pouvait débiter.

Comme son père avant lui, notre géniteur avait la
réputation de ne ménager personne, et nous ne
connaissions du reste personne qui eût jamais osé le
défier. Il faut dire que nous possédions la plus grande
maison du quartier et les plus importants chalutiers

du port. Aussi, et même si la générosité n'était pas
son fort, mon père respectait-il à la lettre la saddaka*
annuelle. Chaque été, comme il en avait fait la promesse à son père sur son lit de mort, il se séparait
d'un dixième de ses revenus pour les distribuer aux
démunis. Sans oublier la construction de la mosquée,
où prêchait notre imam, financée par notre grand-
père, pour la mémoire de son épouse prématurément
disparue...

— C'est dans le Livre, marmonna l'imam.

Mon père retomba sur son siège.

— Je fais déjà beaucoup pour le Livre ! explosa-
t-il. Crois-tu que j'aie des penchants pour le péché,
l'imam ? C'est vrai et connu, j'ai des faiblesses pour
le vin rouge, c'est là ma seule servitude, et Dieu me
sera clément. N'est-ce pas, l'imam ?

L'imam montrait des signes de lassitude. Sans mot
dire, il sortit son mouchoir et se tamponna le front.

— Ne suis-je pas précisément en train de les appli-
quer, les lois d'Allah ? J'aurais aussi bien pu
reprendre la mère de mes enfants sans toutes ces
dépenses d'énergie, dit mon père, sûr à présent
d'avoir correctement plaidé son choix. Personne
n'aurait su que je l'avais répudiée. Sauf elle et moi...
et Allah. N'est-il pas vrai ?

L'imam opina.

— Alors personne ne verra d'inconvénient à ce
qu'elle se remarie avec Youssef Allouchi, conclut

---

* L'aumône.

mon père. J'ai pris sur moi de lui proposer sa main et, s'il a accepté, c'est bien par générosité de cœur.

Mon père froissa ses lèvres, les ramassa en cul de poule et regarda furtivement l'imam. Fort du sentiment de victoire qui commençait à l'habiter, il se servit adroitement du thé, en avala une gorgée. Comme s'il se parlait, il dit :

– Elle m'a bien épousé contrainte et forcée. Et elle n'avait pas seize ans. Ça ne nous a pas empêchés d'avoir les enfants que vous savez et plus de vingt ans de vie commune.

Il se tut subitement, le regard ébaubi, la bouche entrouverte comme s'il avait voulu que cette dernière phrase se dissipât, emportée par les courants d'air. La sueur formait des rigoles sur son visage et, tout d'un coup, sembla se solidifier tant la blancheur infiltrait ses traits. Et si sa femme devenue en trois secondes son ex-femme venait à vivre les vingt prochaines années sous le toit de Youssef Allouchi ? Autrement pensé, qu'adviendrait-il si, pour une raison ou une autre, notre élégant voisin ne répudiait pas ma mère, comme il l'avait tacitement promis à mon père ? comme l'imam et le quartier s'y attendaient ? D'aucuns se félicitaient de l'introduction du mariage temporel et de ses bienfaits, en remerciaient charitablement ses promoteurs dans notre pays et, bien sûr, les chiites, ces Perses décidément plus civilisés que nous autres, rigides sunnites sans imagination. Puis à mots couverts, on regrettait que Youssef Allouchi ne pût en profiter... Mais qu'en savait-on ? Peut-être bien... Après tout...

Mon père but son thé d'un trait, posa le verre sur la table, brassa l'air de la main et secoua énergiquement la tête, chassant ainsi cette fâcheuse idée de son esprit, l'important étant de s'en tenir aux raisons qui l'avaient amené à jeter son dévolu sur notre distingué voisin. Il scruta l'imam, invoqua la grâce de Dieu, rappela l'urgence du remariage de ma mère, les trois mois conventionnels et obligatoires parvenant à leur terme...

– Et le divorce ? demanda soudain notre homme de loi.

Mon père sursauta.

– N'est-ce pas par trois fois qu'elle est divorcée ?
– Le divorce civil...
– Pas nécessaire, dit mon père, pris de court.

Puis d'un trait et le visage de marbre :

– Tout cela restera entre nous. Ça ne nous avancera à rien de mêler les tribunaux à cette histoire. Je fais ça pour les enfants, je vous l'ai déjà dit.

– C'est tout de même illégal, marmonna notre conseiller en affaires religieuses.

Notre père déglutit.

– Le vrai mariage n'est-il pas celui que vous bénissez ?

Un écho de silence répondit à sa question. C'était comme si toute la maison, le souffle suspendu, les yeux écarquillés et l'index sur la bouche, attendait que l'imam réfutât le destin qui devait unir – de façon brève et éphémère – ma mère et Youssef Allouchi.

Derrière le rideau qui séparait la salle de séjour de la partie des invités, où mon père et l'imam se trouvaient, ma mère se tenait debout, immobile, telle une colonne grecque. Elle pleurait sans bruit et fixait le rideau comme si ses yeux pouvaient voir au travers de la toile opaque. Par moments, elle happait les larmes qui stagnaient sur sa lèvre supérieure, rouge et ourlée. Je la dévorais du regard, envahie par une obscure prémonition. Fallait-il la consoler ou feindre de tout ignorer et partir à mes cours, obéissant ainsi à mon père qui refusait qu'on s'en mêlât ? Fallait-il rire ou pleurer de ce qui arrivait à mes parents ? De telles situations existaient-elles ailleurs ? J'aurais payé de ma vie pour que tout cela fût banal. Mais les murmures qui ébranlaient le quartier m'indiquaient que non.

Je rangeai mes affaires sans me presser, espérant que ma mère me ferait un signe, me demanderait un conseil, un service ou simplement me laisserait la serrer dans mes bras et pleurer avec elle. Mais il n'en fut rien, ses élans de tendresse n'étant programmés que pour le genre masculin. Grand-mère depuis peu, et d'un garçon, ma mère n'aspirait plus qu'au bonheur de voir grandir et naître nombreux ses petits-enfants, et les larmes qui l'inondaient étaient bien les larmes de la honte.

Je toussotai pour manifester ma présence. Ma mère lécha de nouveau sa lèvre, et ses grands yeux rétrécis par les pleurs ne croisèrent pas les miens.

Lorsque je franchis la porte, ma petite sœur, Zanouba ou Manouba (nous eûmes bien du mal à trancher en faveur de Zanouba), se mit à brailler dans son berceau.

Et mon père de crier :

— Tu entends ce que je veux dire, l'imam !

Et l'imam dit :

— Je célébrerai ce mariage à la condition que tout soit fait dans les règles : témoins, tuteur, *et cetera*.

Ainsi l'imam persuada ma mère, et ma mère emprunta un voile de mariée.

3.

C'était le premier jour de l'hiver, et il bruinait. S'il avait franchement plu, de cette pluie épaisse, lourde, opaque qui couvre les pas, voile la vue, détruit les fragiles installations publiques, notre téléphone n'aurait pas sonné. Mais il bruinait et, à six heures précises, les lignes électriques et téléphoniques du quartier fonctionnaient à la perfection.

Notre sonnerie réglée au maximum nous fit bondir du lit. Une course effrénée s'engagea dans le couloir qui menait de nos chambres à la salle de séjour. En l'absence de mon père, c'était à qui atteindrait la première l'appareil et, si elle n'était pas occupée, ma mère participait aussi à la cavalcade.

Amina attrapa le combiné d'une main, tandis que de l'autre, s'aidant de ses pieds, elle repoussait le restant de la fratrie qui la bousculait. Manquaient à l'appel notre frère, à l'autre bout du fil et, bien sûr, la dernière-née.

Après une succession de : « Quoi ? Non ? C'est pas vrai ! Je rêve ! » ma sœur glapit :

— Ça y est ! Omar a un fils ! Omar est papa ! Nous sommes des tatas !

Ma mère se rua sur sa fille et lui arracha le téléphone.

– Allô ! Allô ! (Elle hurlait comme si mon frère se trouvait à l'autre bout du monde.) Oui, mon fils... C'est un garçon ? T'en es bien sûr ? T'as bien regardé ? Mille Mabrouk ! Bravo, prunelle de mes yeux... Quatre kilos, dis-tu ?... Mais que mangeait donc ta femme ?... Non, ce n'est pas ce que je voulais dire... Tu les as laissés peser ton enfant ?... JE N'Y CROIS PAS... C'est rien ?... C'est toi qui dis que c'est rien, moi je dis que ça porte malheur et le mauvais œil au bébé... Bon, je ne m'en fais pas, mais ne le dis plus à personne combien il pèse ton fils... Tu l'as appelé Mahmoud ?... Oui, je sais que c'était le prénom de ton grand-père, mais tout de même, il y a de si jolis prénoms de nos jours... Si tu permets, je l'appellerai Moud... Oui, oui... Il est en mer... Bien sûr, dès qu'il sera de retour... Et Khadija ?... Bon... C'est très bien... J'apporterai une soupe... Qu'elle bande bien son ventre, surtout... Ta belle-mère le lui a déjà dit ? Bon...

Quand elle eut raccroché, ma mère virevolta et battit des mains. Noria et Fouzia en firent autant. Ma mère et mes petites sœurs ressemblaient à des gamines un jour de foire, la maison exhalait un air de fête.

– Je vais faire des beignets, ça portera bonheur au bébé, dit ma mère.

Puis :

– Mon fils unique a fait de moi une grand-mère. Et pas n'importe quelle grand-mère ! Merci, merci mille fois, Toi le plus grand, entonna-t-elle. La

grand-mère d'un petit garçon qui sera un homme que
je marierai à la belle des belles...

Elle jubilait, notre mère, la plus jeune des grand-
mamans...

– Allez, les filles, prenez vite votre petit déjeuner
et filez à l'école, dit-elle, allant d'un coin à l'autre
de la pièce.

Ses cheveux défaits flottaient sur ses rondes
épaules, comme autant d'ondulations. Elle voltigeait,
légère, dans sa robe d'intérieur blanche. Soudain, elle
s'immobilisa. Deux doigts en équerre sur la tempe,
une main sur la hanche, elle marmonna, l'esprit ailleurs :

– Que suis-je en train d'oublier ?... La soupe ! je
vais faire une soupe...

Là-dessus, elle s'en fut dans la cuisine, puis entreprit de rouler le tapis de la salle de séjour. Ce qui,
ce matin-là, n'était pas des plus urgents.

– Allons, allons, on se dépêche, répétait-elle, de
nouveau absente.

Ça gambadait dans tous les sens. Les jumelles
revenaient de la cuisine avec un plateau, y retour-
naient pour réapparaître avec les tasses ou la confi-
ture. Habillée pour sortir, Noria nettoyait ses
chaussures et celles de Fouzia en chantonnant inlas-
sablement un refrain qui clamait ses liens de parenté
avec le nouveau-né : « Mon frère est papa et je schuis
la tata, je schuis scha tata, ha, ha, ha », puis laissait
là les chaussures, allait dans sa chambre, changeait
de vêtement, revenait parmi nous et, sans cesse de
fredonner, notre poète de sœur reprenait sa besogne.

Mon père avait découvert la passion de Noria pour

les chaussures quand elle avait sept ans. Depuis lors la tâche lui incombait de faire reluire celles de toute la famille. Ce qu'elle accomplissait avec scrupule, et parfois plaisir, pourvu qu'on lui permît de chuinter...

Fouzia traînait encore dans sa chemise de nuit. Quand elle eut cessé de suivre ma mère à la trace, elle feignit de contribuer aux tâches matinales, gardant bien le silence. Parce que le jour de sa naissance un chalutier de mon père avait pris feu et sombré (mystérieusement, selon son propriétaire), lors des grands événements, ou non, et afin d'éviter de répandre ses congénitales ondes négatives, ma sœur avait pour ordre de se taire, et nous pour consigne d'y veiller. Ce matin-là, pour manifester sa joie, elle se frottait les mains en lançant de brefs clins d'œil à Noria. Ce qui signifiait qu'elle aussi était sa tata, au nouveau-né.

Une odeur de brûlé se propagea dans la maison ; les jumelles avaient oublié le pain qui décongelait dans le four. Ma mère réprimanda les coupables, mais avec moins de fermeté que d'habitude, et abandonna le tapis à moitié roulé. Debout, au milieu de la pièce, elle roulait des yeux comme si elle cherchait à travers les murs, les chaises, le canapé, le buffet, la table, à travers tout ce qui avait meublé sa vie, le fil qui la guidait jour après jour dans ses obligations ménagères... Plus l'inspection des lieux durait, plus l'inquiétude chassait de son visage la lueur extatique...

Zanouba entama ses gazouillements. J'allai préparer un biberon et décidai de rester à la maison pour aider ma mère. Je le lui dis.

– Il n'en est pas question ! répliqua-t-elle en écartant les rideaux.

C'était l'heure où le soleil dilue les rougeurs du ciel.

– Je peux sauter un cours...

– Tu as déjà loupé tes études d'infirmière, tu ne vas pas rater une malheureuse formation de dactylo, dit-elle.

Puis sur le ton d'une antienne :

– À ce rythme, tu ne travailleras jamais et les temps sont durs. Ton père ne va pas toujours vous nourrir...

Et voilà ! Des mots, rien que des mots, mais pas la moindre émotion pour me reprocher mes échecs. Car si ma glorieuse carrière d'infirmière n'avait pas vu le jour, ma mère n'en avait cure. Ma mère ne nous avait jamais entretenues comme une mère entretient ses filles : elle ne s'était jamais inquiétée des signes annonçant notre puberté ; elle ne nous avait jamais expliqué ce qu'il nous fallait préserver, de qui ni de quoi nous méfier, à qui ou à quoi nous fier... Notre mère n'avait rien à voir avec les femmes siégeant en gardiennes sur les rives du Grand Bleu. En fait, elle ne gardait rien du tout : son rôle se limitait à répéter, copier, mimer notre père. Tout ce que Père proclamait, ordonnait, établissait, décidait, décrétait allait droit aux oreilles de mère pour se nicher dans ses neurones sans subir la moindre altération. La voix de son maître. C'est ainsi que les jumelles et moi la désignions en cachette de Noria et Fouzia encore jeunes pour les secrets.

Mariée à la puberté, n'ayant pas connu sa mère,

n'ayant pas de sœurs, pas d'amies – mon père ne l'aurait jamais toléré –, il lui fut facile d'ignorer tout des discussions qui lient une mère à sa fille. Nous avions débarqué dans la vie de mes parents comme une fatalité. Nous étions là et nous n'aurions pas dû. Ou alors seulement avec la virile protubérance tant convoitée, qui aurait fait de notre procréateur un père au sens véritable du terme, c'est-à-dire, honorable. Consciemment ou non, ma mère avait jalonné nos rapports de barrières. Si bien qu'elle éradiqua son rôle de gardienne... Des filles. Et nous ne revendiquions rien de plus que ce qui nous était octroyé, un mot, une phrase dépourvus d'émotion... Tant pis pour l'affection, nous nous en passions bien.

Il en allait autrement avec mon frère.

Si mon père regrettait le manque d'ambition de son fils, le lui reprochait avec véhémence, il était naturel à ma mère – précieux surtout – de créer une proximité avec la lumière de sa vie... Elle traitait mon frère comme elle traitait notre père, souvent avec plus d'égards. Non seulement elle veillait à ce que son linge fût propre et correctement repassé, ses chaussettes reprisées et ses souliers cirés – même après le mariage de mon frère qui continuait d'habiter chez nous – mais elle s'inquiétait de son appétit, de sa santé ; les meilleurs morceaux de viande lui revenaient, et il arrivait que ma mère lui palpât le front plus de dix fois dans une soirée. Le cœur en effervescence, elle guettait son retour et les bruits derrière la porte de la salle de bains, quand il s'y trouvait. Elle vivait des angoisses folles, dans la hantise d'un malheur, un accident qui le lui ravirait, et ne lésinait sur rien pour que son bonheur fût absolu. Lorsque à dix-neuf ans, sa voix à peine mue, mon frère avait annoncé la nouvelle de son mariage et que mon père s'y était opposé, ma mère avait entamé une grève de la faim, s'enfermant dans un mutisme total, et dans la chambre de Noria et Fouzia. Une première...

Quand il eut fini de rugir, de fracasser la vaisselle, de mettre en pièces les meubles, de boire des litres de vin, de menacer ma mère de répudiation, à notre grand étonnement, notre père abdiqua. Pendant quelque temps, gloussant dans nos chambres, portes closes, enviant, sans nous l'avouer, le sort de notre frère, nous inversâmes les rôles et appelâmes notre père : la voix de son maître.

Ma mère obtint de mon père non seulement sa bénédiction mais un cadeau de mariage peu en harmonie avec la pingrerie de son mari : un sardinier flambant neuf, long de quatre mètres, qui assurerait l'avenir de leur fils...

Épris de religion, mon frère avait succombé aux charmes de Khadija, une de mes anciennes amies, qui excellait en citations coraniques. Il l'épousa l'année de son bac auquel, au grand désespoir de mon père, il ne se présenta jamais.

Aussitôt mariée, Khadija abandonna à son tour sa formation de dactylo pour se lancer dans une carrière de femme au foyer et de mère de famille, et les fois où ma belle-sœur quittait la maison, jamais sans son homme, elle ne le faisait que voilée... À force d'assister au dévouement religieux de la jeune épousée, les jumelles et moi, qui, à l'image de notre père, au détriment de notre dévot frère, ne manifestions aucun signe de piété, en arrivions à culpabiliser au point d'envisager de nous mettre à la prière. Au moins...

Je donnai le biberon à Zanouba quand ma mère, le visage tout à coup exsangue, étreignant sa poitrine, s'écria :

– Oh ! mon Dieu, il faut que j'aille à la clinique. Maintenant !

Je sursautai :

– Avec qui ?

Ma mère ne sortait jamais sans mon père ou mon frère. Même avec ce dernier, il lui fallait la permission du chef de famille. Permission rarement accordée...

– Avec un taxi, dit-elle en courant vers le vestibule.

Mes sœurs, qui s'apprêtaient à se mettre à table, se figèrent dans leur élan. Pendant quelques instants, on entendit le silence, même le bébé arrêta de téter et le grouillement sourd de la rue monta pour bientôt devenir un grondement. Les boutiques levaient le rideau, la boulangerie écoulait son pain au quart de tour, le marchand ambulant s'égosillait à vouloir vendre ses aubergines et ses tomates...

Ma mère réapparut chaussée de neuf, ses souliers n'étaient du reste jamais éculés, elle avait si peu l'occasion de les user...

– Maintenant ! Il faut que j'y aille maintenant ! répétait-elle, haletante, les yeux hagards.

– Où scha ? demanda Noria.

– Où ça ? répéta Fouzia, oubliant de respecter les consignes de silence.

– Toi, tais-toi ! la tança Amina.

– Il faut que je fasse sept tours de sel autour de la tête du bébé.

Ma mère parlait seule ; nous n'existions plus.

– L'imbécile de mon fils les a laissés le peser ! Peut-on laisser peser son propre fils comme de la vulgaire viande ? À l'heure qu'il est, la clinique et ses environs sont informés du poids de mon petit garçon. Si je ne fais pas les tours de sel... Oh, non, que Dieu me le préserve...

Et de geindre, comme elle excellait à l'époque :

– Qu'est-ce qu'on t'a fait, ô Toi là-haut, si haut, pour nous affliger ainsi ? C'est bien ma chance si d'emblée mon petit-fils est foudroyé par le mauvais œil...

– Le sel peut bien attendre le retour de papa, dit Yasmina.

– Oui, ça peut attendre, renchérit Amina, le visage aussi blanc que celui de sa mère.

Elle n'écoutait pas. Elle avait enfilé une robe rouge aux manches et aux pans longs, et ramassé ses noirs cheveux dans un bandeau de la même couleur.

– Tu resteras à la maison faire les beignets, et t'occuper de la petite, me dit-elle. Je vais prendre un taxi... Oh, mais je n'ai pas un centime... Quelqu'un a-t-il un peu d'argent ? demanda-t-elle, une pointe d'angoisse dans la voix.

Je n'avais jamais connu ma mère avec de l'argent ; elle n'en avait pas besoin, mon père achetait tout. Elle n'allait jamais chez le coiffeur ; mon père gigotait de plaisir quand elle passait ses cheveux au henné, qu'elle les dénouait sur ses épaules mais l'idée du coiffeur ne lui aurait jamais effleuré l'esprit. À elle non plus, d'ailleurs. Quant au hammam et aux mariages, il les avait proscrits depuis que notre grand-tante avait quitté ce monde. Veuve précoce, la tante de mon père n'avait pas enfanté. Aux enfants qu'elle n'avait pas eus, elle avait substitué mon père lequel lui avait témoigné en retour une confiance sans limite. Ainsi depuis le décès de son Homme de Confiance, plus de hammam, plus de fêtes, même pas celles de nos proches... De toute façon, disait notre géniteur, on n'y gagne que maladies et médisances. Et puis, clamait-il, la femme d'Aziz le pêcheur, la bru de Mahmoud Zeitoun, n'a rien à faire dans les bains publics. Elle a tout ce qu'il faut à la maison : de l'eau et des salles de bains ! Et six filles à caser la lasseront bientôt des mariages.

Mon père avait fait construire une immense salle de bains avec une large et ronde baignoire au bord court, de sorte qu'on avait l'impression d'être au bain public. Et, pour parer aux coupures d'eau nationales, il avait fait installer dans la cave une citerne de deux cents litres pourvue d'un moteur électrique...

Ma mère se saisit de l'argent que je lui donnai. J'étais passionnée de broderie et il arrivait que je confectionne une nappe ou un drap pour une amie, mais ma mère l'ignorait qui ne se soucia point de la provenance de ces billets. Elle les glissa dans son corsage et se précipita dans la cuisine où elle prit une poignée de gros sel, qu'elle enveloppa dans un mouchoir. Elle s'enroula alors dans son haïk blanc, ajusta sa voilette de dentelle et, telle une femme libre, disparut dans la ville.

4.

Quand la porte claqua, la maison parut tout à coup vide, la pièce immense, comme si les murs s'étaient reculés ; mes sœurs nombreuses et hébétées ; le bébé somnolent et excessivement lourd, et le silence un revêtement de plomb.

Noria se mit alors à ânonner :

– Maman est schortie, maman est partie, gros schel pour le bébé, bébé a l'œil mauvais, fallait pas le peger.

– La ferme, dit Fouzia, la gorge nouée, mordillant une tartine beurrée dont elle n'avait visiblement plus envie.

– Ma schœur est jalouge de mes fers, répliqua Noria, se levant de table et courant vers sa chambre.

Elle fut bientôt suivie par Fouzia qui, libérant ses cordes vocales, cria :

– Ça va être de ma faute si le fils d'Omar attrape le mauvais œil ! Ça va encore être de ma faute si maman a désobéi. De ma faute ! Toujours de ma faute ! Tu entends ?

Je ramenai le bébé dans son berceau et me joignis

aux jumelles qui débarrassaient la table du petit déjeuner.

– Tu crois que maman est devenue folle ? demanda Yasmina.

– Non, fis-je distraitement, elle est devenue grand-mère.

– Papa va quand même être ivre de rage, dit Amina.

– Papa la traitera avec les égards dus à une grand-mère. Enfin, c'est ce qu'elle croit et j'espère qu'elle ne se trompe pas.

Amina écarquilla les yeux.

– Tu veux dire qu'il la traitera comme une vieille ?

– Elle veut dire qu'il la laissera un peu libre, répliqua Yasmina, agacée.

Née quelque quatre ou cinq minutes avant sa jumelle, Yasmina s'estimait la plus futée des deux.

– Une de nous aurait quand même dû l'accompagner, dit Amina en mordant sa lèvre inférieure. Seule dans la ville...

– Elle regarde suffisamment la télé pour savoir prendre un taxi, rétorqua Yasmina.

Puis elle se mit à ouvrir grands balcons et fenêtres. Il ne bruinait plus et le soleil conquérait le ciel.

– Qu'est-ce qu'il te prend ? demanda Amina.

– C'est un vieux rêve...

– Mais si papa entrait, fis-je.

– Qu'il soit le bienvenu ! qu'il voie que les fenêtres sont faites pour être ouvertes, complètement ouvertes ! s'extasia Yasmina en humant l'air frais.

– Si papa vient, dit Amina, comme pour excuser

son double, on ne risque rien puisque c'est à cause
de maman qu'il nous interdit le balcon... Et elle n'est
pas là...

— Je crois qu'on a toutes perdu la tête, dis-je.

— Et ce n'est pas tout, ajouta Yasmina en allumant
la radio, poussant le volume au maximum.

Autre infraction aux ordres de Père.

Monsieur Météo annonça une semaine ensoleillée,
des températures élevées, conclut en souhaitant aux
agriculteurs de la pluie. Puis on lança la musique.
Yasmina dansait en claquant des doigts.

— Maman est schortie, maman est partie. Gros
schel pour le bébé. Bébé a l'œil mauvais. Fallait pas
le peger, entonna de nouveau Noria, le buste courbé
sous le poids de son cartable.

Fouzia, estimant en avoir trop dit, se forçait au
silence en serrant bien les lèvres. Ça ne dura guère ;
emportée par les décibels, elle tapa des pieds sur le
sol, d'abord doucement puis de plus en plus fort :

— Ya chabah ! Ya chabah ! Hohooo ! Vive la
musiquèeeh ! Vive la libertèèèèèh ! criait-elle, la
luette hors du gosier.

— La ferme, dit Amina.

Elle hurla pour couvrir la cacophonie croissante :

— Que ferait papa s'il était de retour avant
maman ?

— Je ne sais pas ! hurlai-je à mon tour.

Puis murmurant :

— Il sera de retour avant elle, j'en ai bien peur.

Mon père partait en mer avant l'aube et rentrait
généralement à l'heure du deuxième biberon du bébé.

Noria et Fouzia sortirent, les jumelles n'étaient pas

encore prêtes, elles allaient être en retard. Je le leur
dis et déjà me réjouissais d'occuper les lieux en maîtresse de maison, quand Yasmina arrêta la radio,
ferma les fenêtres et s'assit.

— On reste à la maison, dit-elle.

— Il n'en est pas question, dis-je, empruntant la
voix de ma mère. Vous avez beaucoup de retard dans
vos études, ce n'est pas la peine d'aggraver votre
situation, ajoutai-je d'un trait.

— Elle est déjà gravement atteinte, notre situation.

— Aujourd'hui que maman n'est pas là, on a le
courage de l'avouer à quelqu'un, enchaîna Amina,
s'asseyant à son tour, posant ses mains à plat sur ses
genoux.

Puis, m'enveloppant de ses yeux de biche égarée,
elle reprit :

— Tu veux bien nous écouter, notre sœur bien-
aimée ? Juste nous écouter ?

Je ramassai os et muscles, raidissant ainsi mon
corps. Et ainsi me préparai-je au pire. Bravement.

— Alors ? fis-je, les regardant une à une.

— On a cessé d'aller au collège, dit Yasmina en
baissant les yeux.

Muscles et os se détendirent ; je faillis tomber à
la renverse.

— Vous n'allez plus au collège ?

— On n'arrivait plus à suivre, dit encore Yasmina.

— Sauf en dessin, mais ça compte pour rien, le
dessin, dit Amina.

— Depuis quand ?

— Depuis toutes petites, tu sais bien, répondit
Amina.

– Aux cours. Quand les avez-vous arrêtés ?

– Il y a un peu plus d'un mois, marmonna Yasmina.

– C'est impossible, on l'aurait su, ils auraient écrit...

– On intercepte les lettres, dit Amina.

– Bien sûr, dis-je, saisie de petits tremblements. Mais quand vous sortez le matin, repris-je, luttant contre des visions difformes, où allez-vous ? Que faites-vous de vos journées ?

– On va dans les jardins publics, parfois au marché ou dans un salon de thé, à l'autre bout de la ville. Souvent, nous sommes les seules filles, dit Yasmina.

– On n'en peut vraiment plus de traîner dans les rues, gémit Amina. Avec ce qui se passe en ce moment, on finira par se faire repérer. On peut compter sur toi pour le dire ?

– Mais à qui ?

– À maman...

– Je ne pourrai pas, ça se retournerait contre moi, de toute façon... Vous savez bien comment elle est...

– Je crois qu'elle n'est plus la même, dit Yasmina. Elle ne serait pas sortie seule si elle n'avait pas changé.

– Même si c'est vrai, il y a toujours papa qui, lui, n'a certainement pas changé, rappelai-je.

– Et s'il nous arrivait malheur, non seulement il nous en tiendrait pour responsables, mais il ne passerait pas l'éponge comme la dernière fois, ajouta Amina.

– De quelle dernière fois tu parles ? dis-je.

– Tu as raison pour papa, il ne changera jamais, coupa Yasmina, son regard de tourbe en direction de sa sœur.

Je revoyais alors nos parents assis l'un en face de l'autre, notre père énumérant les dépenses depuis nos naissances, l'argent qu'il aurait économisé si nous n'avions pas été là, vénérant l'ère de la science et des esprits vifs, évoquant mon incapacité à dire la vérité, mes études d'infirmière foutues, ma formation de dactylo, lui qui me voulait dooocteur, qui ne prendrait jamais sa retraite, les jumelles et leur retard scolaire, qui finiraient couturières. Au mieux ! Noria aux multiples tares, somnambule et qui perdrait tôt ou tard l'usage de la parole. Fouzia la porteuse de poisse dont les seuls mots engendraient les vingt-cinq pour cent des maux du monde. Toutes suivraient ma voie, sous ma mauvaise influence... Je l'entendais presque, la voix de mon père : Ce sont mes filles mais elles ont hérité du crétinisme de leur oncle (maternel, s'entend), mère approuvant, enregistrant... Et j'entendais nos chuchotements, nos silences, nos pas feutrés... Ainsi en était-il des mauvais jours, à vous lasser de l'existence.

– Maman ferait une grève de la faim, dit tout d'un coup Amina.

Je fixai ma sœur et me demandai si mon père n'avait pas raison.

– Une grève de la faim pour vous ?

– Elle en a bien fait une pour toi, dit-elle encore.

Une boule alourdissait mon estomac.

– Elle ne le fera pas, dis-je. Ni pour vous ni pour moi, en tout cas...

Puis, presque avec colère :

— Pour qu'elle en fasse une, il faut s'appeler Omar ou Mahmoud.

— Mais que va-t-on devenir ? demanda Amina en levant les bras au ciel.

— Penser à ce que vous aimeriez... Vous inscrire dans une école d'apprentissage...

— De couture, dit Yasmina. On va aller dans une école de couture.

— Même papa dit qu'on sera couturières, dit Amina. Alors on va coudre...

— Coudre ?

— Tu brodes bien, murmura Amina.

Ma voix vibra d'inquiétude, celle que suscite l'amour sororal.

— Mais au moins aimez-vous coudre ? Sauriez-vous le faire ?

Elles haussèrent les sourcils et agrandirent les yeux comme si ma question contenait toutes les complications du monde. Il était plus de neuf heures ; ma mère était sortie (seule), elle qui ne connaissait les cliniques et les hôpitaux que de nom, qui accouchait à la maison, comme une Indienne, parfois avec l'assistance malhabile de ses aînées. Ma mère qui pansait ses fausses couches dans la buanderie, se vidant avec acharnement et sans la moindre lamentation du sang utérin, celui de la colère des anges, disait-elle avec résignation ; mes sœurs qui erraient dans les rues... Et la rumeur qui enflait, gonflait. Qui bientôt se déverserait devant nos portes, nous annonçant les séismes et le réveil des volcans.

Yasmina se mit à pleurer.

– Je ne sais même pas sur quel doigt placer un dé à coudre.

Je lui pris la main :

– Je sais bien. Mais ça s'apprend. Tout s'apprend. Et peut-être même aimerez-vous la couture...

– Dessiner, on aime bien le dessin, dit Amina en pleurant à son tour.

– Mais personne ne nous prendra au sérieux, dit Yasmina.

– Et il n'existe même pas d'école pour ça, dit Amina.

– Il y a les Beaux-Arts, dis-je.

– Nous leur avons écrit, répliqua Amina.

– Mais ils ne prennent que des bacheliers, dit Yasmina.

Et elles se mirent à sangloter. Même cadence, mêmes reniflements, même son. La journée la plus courte de l'année s'annonçait interminable...

En bas, la porte du garage claqua. Yasmina ravala ses larmes, tourna la tête et lâcha :

– Papa !

Comme un écho, Amina lança :

– Papaa !...

Plus rapides que l'éclair, les jumelles grimpèrent l'escalier qui menait à l'appartement de mon frère où elles se réfugièrent.

5.

Sa silhouette d'hippopotame se profila dans l'escalier, se découpa dans la lueur du vestibule, disparut dans la cuisine. Zanouba réclamait son biberon.

– Nayla ! Nayla ! appela-t-il.

Puis :

– J'ai rapporté des rougets exactement comme tu les aimes. Petits et bien roses. Arrive vite, ils remuent encore.

Lorsque j'entrai dans la cuisine, le bébé dans les bras, mon père se servait du vin. Dès qu'il me vit, apparition peu habituelle à cette heure de la journée, ses yeux étroits s'élargirent, puis se rétractèrent. Il but son vin sans nous lâcher du regard. L'instant d'après, le verre dans une main, essuyant sa bouche du revers de l'autre, il dit :

– Où est ta mère ?

– Eh bien..., bégayai-je.

– Eh bien, quoi ? dit-il, contenant avec peine le bouillonnement dans son ventre.

Son œil gauche clignait sans répit, ses mandibules claquaient doucement : l'appréhension le gagnait.

Mon père possédait une sorte de sixième sens,

certainement le fruit d'une superstition solidement
ancrée, savamment entretenue. Il n'était guère féru
de religion, je ne me souviens pas de l'avoir jamais
vu prier ni même aller à la mosquée un jour de fête
sacrée, et, s'il observait le jeûne de ramadan, c'était
plus par économie et habitude que pour Allah ou
l'entourage, et si ma mère, sous l'influence de mon
frère, tentait de ranimer sa foi, mon père la rabrouait
et la décourageait par de petits rires moqueurs, rap-
pelant les exploits de l'homme et de lui seul : la
chirurgie à cœur ouvert et au laser, le Concorde entre
Paris et New York, les randonnées sur la lune, les
tunnels sous les mers, le fax et les satellites, les mis-
siles et les guerres chirurgicales... Mais tout comme
le lui avaient inculqué sa tante et sa vie de marin,
mon père vivait en observant les signes : il guettait
les étoiles filantes et, chaque lune naissante, brandis-
sait à sa lueur des billets de banque pour faire fruc-
tifier sa fortune ; il ne sortait jamais en mer le
treizième jour du mois ; il n'allumait jamais une
cigarette à la flamme d'une bougie, la vie d'un marin
en pâtirait ; il applaudissait lorsque du verre se bri-
sait ; il pourchassait à coups de manche à balai les
chats noirs de notre jardin ; il se barricadait dans la
maison s'il venait à entendre hululer un oiseau de
nuit ou si la plante de son pied gauche l'avait
démangé ; il brûlait de l'encens pour fêter l'acquisi-
tion d'un bateau, ou le lendemain d'un mauvais rêve
– mauvais rêves qu'il narrait aux toilettes, à voix
haute, déféquant et tirant à plusieurs reprises la
chasse – ; il estimait ses enfants selon la chance, ou
la malchance, qu'ils pouvaient lui porter... N'eût été

sa notoriété dans cette partie de la ville, une ville de pêcheurs et d'importants armateurs, notre père aurait volontiers consulté diseuses de bonne aventure et autres devins...

– Elle est où ?

Ma réponse lui importa peu. D'ailleurs je n'en fis pas. Elle resta bloquée dans ma gorge ou un peu plus bas. Il jeta le verre qui alla s'écraser sur le sol et se lança hors de la cuisine, cavalant comme un forcené, appelant ma mère à tue-tête. Il trébucha sur le tapis à moitié roulé, se ressaisit et poursuivit ses recherches, jurant par tous les saints de réduire la maison en miettes, ma mère et les femmes de la terre entière en poussière. Quand il eut fait le tour des pièces, salles de bains et buanderie incluses, quand il eut brisé tout ce qui lui tombait sous la main, même les précieux verres Lexdura importés, réputés incassables, ne lui résistèrent pas, quand il eut déchiré les robes de ma mère, les nôtres si elles se trouvaient là, il cessa ses gueulantes et sa course. Le pas las, il revint dans la cuisine d'où je n'avais pas bougé, les pieds cloués au sol, le bébé tout contre ma poitrine.

Le visage suintant, le souffle haché, il s'assit. Il se saisit de la bouteille de vin, laissa tomber le bouchon et but au goulot. Il alluma alors une cigarette et tira une grande bouffée, qu'il n'expira pas. D'une voix faussement sereine, il dit :

– Où est-elle ?

Il laissa échapper la fumée de ses naseaux, l'œil vissé sur moi.

Ma langue séchait, gonflait, s'alourdissait, se nouait au fur et à mesure que les yeux de mon père s'injectaient de sang, les yeux d'un bourreau prêt à œuvrer... Et ma mâchoire de se serrer fortement, mes dents de crisser, crisser à se briser... Puis la peur d'attiser sa colère, qu'il ne manquerait pas de déverser sur moi et le bébé, réactiva mes glandes salivaires. Ma langue enfin se délia, mais mon esprit s'installa dans la confusion.

– La femme d'Omar a accouché. C'est un garçon. Omar l'a appelé papy, non, grand-père, je veux dire Mahmoud, dis-je d'une traite.

Ma respiration, celles de Zanouba et de mon père, le robinet qui gouttait, le réfrigérateur qui ronronnait, le moindre bruit battait mes tympans, résonnait comme un effroyable tintamarre.

– Tant mieux, mais ça ne me dit pas où est Nayla, dit-il de cette voix qui clamait la paix dans le monde et dans les foyers.

Puis il envoya sa cigarette dans l'évier et bondit de son siège. Les mains à plat sur la table, le buste penché à angle droit, son visage frôlant presque le mien, il rugit :

– Ta mère, elle est où ? nom de Dieu !

N'arrêtant pas de rappeler le nom de Dieu, du revers de son bras, il balaya le cageot de rougets et la bouteille qui se trouvaient sur la table. La petite dernière, pas encore accoutumée aux déflagrations de voix de son géniteur, aux poissons qui voltigeaient dans la maison, aux inondations de vin, braille de tous ses petits poumons. Je la serrai étroitement contre moi et me mis à me balancer comme sur le rythme d'une musique folle.

– À la clinique, à cause du sel, il pèse quatre kilos,

on ne sait pas ce que mangeait sa mère, le mauvais œil...

Épuisée, ma petite sœur s'assoupit et je finis par me faire comprendre. Mon père se rua vers la sortie, le bruit de ses pas s'estompait dans l'escalier, mes jambes flageolaient, le sol se dérobait, les siroccos m'entortillaient, me soulevaient... Les prémices de la fin du monde seraient-elles aussi anxiogènes ?

Était-il à la recherche de ma mère ? Qu'allait-il faire ? la battre jusqu'au sang et nous avec elle ? Sa nouvelle condition de grand-mère nous sauverait-elle ? Peut-être tout simplement se dirigeait-il vers un bar pour éteindre sa colère et fêter la naissance de son premier petit-fils...

Le bébé remua dans mes bras, émit de petits gémissements pour rappeler sa faim. La torpeur m'abandonna. La maison était un champ de bataille. J'appelai les jumelles à l'aide. Elles refusèrent de quitter leur abri, persuadées du retour imminent de notre père.

Zanouba buvait goulûment son lait quand ma mère et Omar arrivèrent. Ma mère haletait et transpirait à gros bouillons. Elle découvrit son visage, s'épongea le front et le cou avec la voilette de dentelle.

— Il est beau comme un jour de printemps, dit-elle, la pupille chauffée par l'excitation, la fierté à son paroxysme.

Elle n'avait pas l'air de se soucier des débris de verre, du linge déchiré, des meubles renversés, ni même de remarquer la dévastation de notre intérieur.

C'est Omar qui dit :

– Qu'est-ce qui s'est passé ici ?

– Papa était en colère. Il vient juste de sortir, marmonnai-je, sans lever les yeux.

Ma mère laissa choir son voile, enjamba quelques chaises et s'effondra sur le canapé. Une odeur de poisson et de vin ventilé se dégageait de la cuisine.

– Oh ! mon Dieu ! s'exclama-t-elle, un sourcil en arcade.

Elle se souvenait enfin de l'existence de notre gouverneur.

– Pourquoi a-t-il fait ça ? demanda Omar.

– Il cherchait maman.

Le visage de mon frère s'obscurcit.

– Pourquoi te cherchait-il ?

La main sur la poitrine, ma mère inspira puis expira avec un léger bruissement. Son regard ausculta longuement la pièce ; voilà qu'elle estimait à leur juste valeur l'ampleur des dommages et la fureur de son mari.

– Que peut-il faire ? dit-elle d'une voix lente et sans timbre.

Ses cernes progressivement se violaçaient.

– Pourquoi te cherchait-il ? répéta mon frère.

– Je pensais être de retour avant lui, murmura ma mère.

– Ce n'est donc pas lui qui t'a déposée...

– Ça ne pouvait pas attendre... Tu sais, le sel... D'ailleurs, que veux-tu qu'il me reproche ? Lui-même en aurait fait autant, sinon plus...

– Mais qui était avec toi dans le taxi ? demanda Omar.

– Le voisin, tu sais, Youssef Allouchi... Il m'a

vue sur le trottoir en train d'essayer de héler un taxi, il m'en a arrêté un, puis il s'est poliment proposé de m'accompagner. D'ailleurs il faudra penser à le rembourser, c'est lui qui a payé la course...

— Mon Dieu..., dit mon frère. Elle est sortie seule. Sans sa permission...

— Et alors ? Il fallait bien que ça arrive un jour ! s'exclama tout à coup ma mère.

Puis un ton plus bas :

— Je n'allais tout de même pas rester jeune éternellement.

Son visage reprenait des couleurs, ses traits se détendaient : où notre jeune génitrice puisait-elle donc cette soudaine assurance ? Comptait-elle sur le soutien d'Omar maintenant père et dont les pouvoirs s'étaient renforcés grâce à l'arrivée de cette nouvelle protubérance ? Quoi qu'il en fût, j'applaudis en catimini ; ma mère se dressait enfin contre ce qui avait fait toute sa vie : une alternance de grossesses et de tâches ménagères.

N'en pouvant plus d'être terrées, les jumelles prirent le risque de se montrer. Personne ne fit attention à elles et, lorsqu'elles commencèrent à expliquer leur présence, prétendant qu'elles étaient là pour réparer les dégâts, personne ne les écouta. Elles échangèrent un rapide coup d'œil, soufflèrent de soulagement et se faufilèrent dans la cuisine, presque sur la pointe des pieds.

— Il n'avait tout de même pas besoin de transformer la maison en porcherie, dit mon frère en regardant autour de lui.

À ce moment-là, la porte d'entrée battit sur ses

gonds, les murs frémirent, puis la maison s'enveloppa d'un silence de cimetière, une nuit sans lune.
Mon père parut. La haine, ou quelque chose de plus
fort que la haine que je ne connaissais pas, ou que
je croyais ne pas connaître, dégouttait de son front,
de son nez, de son menton, décomposait ses traits.
Debout, un bras le long du corps, un index pointé
en direction de ma mère, les yeux rivés au sol, il
inspira profondément puis, sans préambule et avec
calme, il la répudia. Par trois fois. Et ce fut comme
la fin du monde.

Les coudes appuyés sur les genoux, la tête entre
les mains, ma mère ne broncha pas. Elle regardait
ses pieds avec gravité, la paupière lourde, un rictus
peu à peu coupait son visage en un vilain sourire.
Omar se frappa les tempes avec les deux poings, puis
à son tour se figea. Pendant un long moment, il fixa
la tremblotante bedaine de mon père.

– Il n'est de dieu que Dieu, murmurait-il sans
cesse.

Les jumelles se tenaient debout dans l'embrasure
de la porte de la cuisine, la bouche grande ouverte,
le regard éperdu, comme si elles avaient peur de
comprendre.

Brusquement, mon frère lâcha :

– Pourquoi trois fois ?

– Oui. Pourquoi trois fois ? répéta mon père, les
joues blêmes, les yeux révulsés, le nez gros et rouge.

Il s'adossa au mur. Puis, comme feu notre grand-
tante l'eût fait, il se laissa glisser et s'affala, les
jambes raides, les pieds joints, les mains à plat sur
le carrelage. À la recherche d'un signe salvateur –

qu'il ne trouva ni sur les traits de son ex-femme ni sur ceux de sa mâle descendance – il empoigna le peu de cheveux qui lui restaient et entreprit de les arracher.

– Le sort s'acharne contre moi, gémit-il.

Zanouba rota.

– Bon, dit ma mère froidement. Je fais mes paquets et je m'installe chez mon fils.

Mon père bondit.

– Tu ne bouges pas d'ici ! s'écria-t-il.

– Qu'est-ce que ça veut dire ? dit mon frère.

– On refait le mariage. Tout de suite !

– C'est impossible, répliqua Omar en hochant la tête dans tous les sens. Tu l'as répudiée par trois fois et tu n'étais même pas en colère.

– Tu n'es tout de même pas l'imam El Ghazali ! le réprimanda mon père. Et le nôtre d'imam saura me dire.

– Il te dira que ce n'est possible que si elle contracte un deuxième mariage et évidemment une deuxième répudiation. C'est la loi.

– Eh bien, nous appliquerons la loi, dit mon père.

Et il sortit.

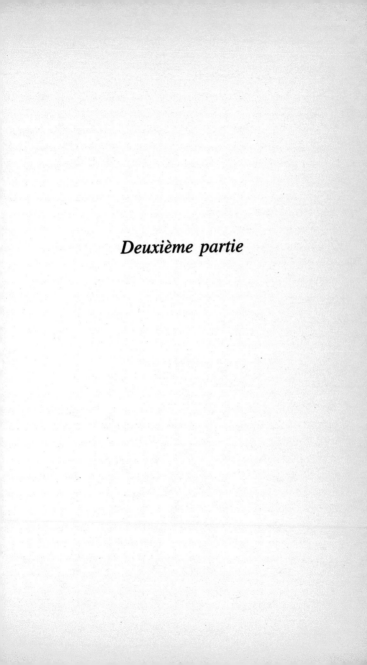

Deuxième partie

6.

Mon père se plaignait de ne pas digérer son déjeuner, un ragoût de sardines cuisiné par les jumelles, et menaçait de leur faire ingurgiter une bouteille d'eau de Javel, si son ulcère venait à se réveiller. La main sur l'estomac, la lippe baveuse, il alla se poster dans l'escalier et tendit l'oreille. De temps en temps, il jetait un regard par-dessus son épaule, s'assurant qu'il ne serait pas surpris à guetter les bruits de l'étage du dessus où son ex-femme attendait son fils.

Dans la maison d'en face, en présence du fiancé de ma mère, de l'imam et des deux témoins, Omar, consacré tuteur légal, bénissait le mariage. Comme un lendemain de mauvais rêve, mon père montrait tous les signes de l'inquiétude qui terrasse. Pourtant n'avait-il pas organisé ce mariage lui-même ? N'avait-il pas dégotté et grassement rétribué les deux témoins ? engagé la jeune veuve, qui habitait au coin de notre rue, pour chaperonner ma mère ?

Ne sachant pas ce qu'il craignait au juste, ne percevant rien qui pût l'éclairer, il finit par quitter son guet et revint à ses souffrances abdominales. Il se

mit alors à arpenter la maison, contournant la
chambre qui n'était plus conjugale et d'où émanait,
malgré les trois mois écoulés depuis la répudiation
de ma mère, une odeur de patchouli.

Ce jour-là, mes sœurs et moi étions interdites de
séjour chez Omar. Mais quand ses douleurs se furent
calmées, mon père cessa ses complaintes et me dit
de monter... si j'en avais envie. En fait c'était un
ordre, un vrai, de ceux qu'on ne discute pas, auquel
on ne coupe pas, auquel on n'échappe pas. Il me
demandait, en quelque sorte, d'espionner ma mère
dans ses préparatifs pour ses deuxièmes noces. Peut-
être s'en réjouissait-elle, après tout... Quel signe le
troublait-il ainsi ?

Quand j'entrai dans la chambre à coucher, ma
belle-sœur essayait de convaincre ma mère de troquer ses robes contre un caftan de son trousseau de
mariée. À bout de forces, on aurait dit qu'elle venait
de séjourner dans un camp de forçats, ma mère se
laissa faire et s'insinua dans le bruissement du vêtement orné d'or. Puis, on ne saura jamais pourquoi,
Khadija proposa de la maquiller. Sans mot dire, ma
mère lui décocha un regard puisé dans les profon-
deurs de la géhenne.

Imperturbable, ma belle-sœur suggéra de lui sou-
ligner les yeux de khôl. Au moins...

– Allah est beau et aime la beauté, dit-elle de son
air de Mère des croyants.

Zanouba et Mahmoud serrés dans le même berceau se donnaient la réplique dans le langage heu-
reux des nourrissons.

– Ce n'est tout de même pas un enterrement, ajouta négligemment ma belle-sœur.

Elle déboucha le flacon de khôl et entreprit de touiller la poudre avec le bâtonnet effilé.

– Pourquoi te moquer de moi ? explosa alors ma mère.

Puis elle se tourna d'un bloc et fit face à ma belle-sœur.

– T'ai-je jamais maltraitée ou humiliée ? cria-t-elle, reniflant ses larmes et repoussant sa bru.

Khadija lâcha le flacon qui se déversa sur les vêtements de ma mère et le tapis.

– Qu'ai-je fait ? Mais qu'ai-je donc fait ? gémit la bru. Pourquoi tant d'animosité ? N'est-ce pas Ta volonté, ô Toi qui soulages les affligés ? poursuivit-elle en rangeant linge de noces et produits de beauté.

Puis elle s'enferma dans la salle de bains où elle se lamenta sur son caftan abîmé et la rudesse des belles-mères.

Attirées par les cris de l'une et les gémissements de l'autre, profitant d'un moment d'inattention de notre père, Noria et Fouzia se faufilèrent dans la chambre. Ma mère essuya ses yeux, se moucha bruyamment et cessa de pleurer. Mais elle arborait cette même expression de gravité qui l'avait marquée le jour de la répudiation. Mes petites sœurs, immobiles et muettes comme des coupables, l'observaient. Prise d'une énergie soudaine, elle déplaça une chaise, redressa un coussin, frotta les poussières de khôl sur l'habit de mariée... Et ses yeux étincelaient bizarrement ; son esprit semblait à des années-lumière d'ici. Elle n'était presque plus Nayla Zeitoun.

À trente-sept ans, ma mère était encore belle. Ni les parturitions, ni le dur labeur, ni les déchirantes angoisses, ni sa vie de recluse n'avaient en rien altéré sa peau douce, son teint laiteux, sa chevelure luxuriante, ses yeux de braise sertis de cils touffus et recourbés, sa stature sculpturale, son ventre plat... Une beauté dont sa progéniture – excepté peut-être notre frère – n'avait guère hérité, les gènes de notre auteur ayant sans conteste dominé.

La voix de mon frère nous parvint de la porte d'entrée. En une fraction de seconde, ma mère s'enroula dans le voile de soie ivoire de sa belle-fille, chaussa ses escarpins rouges, dégringola l'escalier. Sans un regard pour nous. Sans un adieu. Oubliant même sa petite dernière.

Sorties de leur hypnose, Noria et Fouzia se précipitèrent à sa suite. La première, ânonnant d'une voix de supplicié, demandait à l'accompagner, la seconde exprimait le même désir, par des gestes qui lui étaient propres et non moins de martyre. Mais ma mère, silhouette blanche et gracile tranchant la nuit, était déjà loin.

7.

Je me dirigeai vers le berceau quand Khadija quitta son refuge, avec la mine renfrognée qu'elle adoptait chaque fois que l'on se retrouvait en tête à tête.

— Laisse la petite ici, me dit-elle. Je m'en occuperai jusqu'au retour de ta mère.

Parce que, de toute façon, elle n'en voudrait pas, j'évitais d'établir la moindre connivence avec la femme de mon frère.

— Ma mère s'est remariée, dis-je.

— Ta mère est de retour dans une semaine, au plus tard. Tout le monde est au courant des simonies de ton père... Même mon pauvre mari s'y plie. Bien contre sa volonté, soupira-t-elle.

Je m'en fus, les oreilles dégoulinantes de sa voix sucrée psalmodiant des louanges à Dieu, implorant ses clémence et miséricorde pour Zeitoun père et ses filles.

La maison était plongée dans la pénombre, comme si la tension électrique avait baissé et que les rideaux avaient perdu de leur éclat. Petites souris grises, nous nous faufilions entre les meubles, rasions les murs, bouches scellées. Les jumelles disparurent dans la cuisine où elles réchauffèrent les restes du ragoût de midi, improvisèrent un plat pour amadouer l'estomac de notre père. Dans un coin de la salle, Noria et Fouzia feignaient de potasser leurs devoirs, le cou enfoncé entre leurs frêles épaules. Mon père éteignit la télévision et ouvrit grandes les portes du balcon. Une brise printanière tenta, en vain, de dissiper les vapeurs de tabac brun des cigarettes qu'il fumait l'une à la suite de l'autre. En face, la maison de notre voisin brillait de tous ses feux et l'odeur de couscous à l'agneau imprégnait l'air, se mêlant aux effluves de jasmin.

À l'affût d'une étoile filante, mon père regarda longuement le ciel, puis marmonna des mélopées où seuls les noms de ma mère et de ma grand-tante étaient audibles. C'est alors qu'un papillon de nuit vint se poser sur son épaule. Son visage s'illumina et, de tout son corps, il se raidit.

– Hé, vous deux, siffla-t-il. Approchez. Dou-ce-ment.

Noria et Fouzia obéirent, devinant la requête qui allait venir.

– Attrapez-le, chuchota-t-il. Attrapez ce papillon... dou-ou-ce-ment.

Le papillon battit frénétiquement des ailes, laissant derrière son envol mes sœurs pétrifiées de confusion, prêtes à encaisser les remontrances de leur père. Reléguant les esclandres à plus tard, il entreprit de pourchasser l'insecte qui alla se nicher dans une lampe. Découragé mais non moins rasséréné, il ralluma la télévision, évita les informations – quand et pourquoi notre père avait-il décrété que le monde chamboulât sans nous ? – et se laissa bercer par le ronronnement des voix synchronisées d'un téléfilm américain.

Il ne quitta pas le canapé et ne toucha pas à son couscous au lait. Les jumelles bâfraient sous le regard horrifié des plus jeunes, non seulement écœurées par la sardine et son ragoût, mais sidérées de l'appétit de leurs aînées le jour où notre mère s'installait dans une autre demeure.

Au moment de gagner nos chambres, nous perçûmes de la musique et des youyous. Comme un seul homme, mon père, Yasmina et moi nous précipitâmes sur la terrasse et nous penchâmes par-dessus la rambarde. Des voisins et des employés de la mairie s'amassaient dans le jardin d'en face.

Chez Youssef Allouchi, la fête était à son plein.

– Le traître, maugréa mon père.

– Ça ne veut rien dire, dis-je, esquivant les coups de pied de ma sœur.

Elle m'intimait de me taire, car était-ce bien la peine de communiquer avec un homme au bord de la crise de nerfs et qui plus est ne se livrait jamais à ses filles ?

Pourtant, la voix fluette, le roi Salomon ronronna :

– Tu crois ?

Au-dessus de nous, la lune s'arrondissait, rosissait, comme une femme enceinte, et souriait de la béatitude des anges.

– Ils font la fête pour écarter les soupçons, fis-je, le visage enflammé, le cœur telle une feuille déta-

chée de sa branche, disputée par les vents des quatre
coins du monde.

– Bon, bon, fit mon père, mettant ainsi un terme
à cette ébauche de complicité.

Il referma le balcon sur les sanglots d'un luth cou-
vrant ceux, familiers et non moins langoureux, du
rossignol du jeune marié.

Mon père s'allongea sur le canapé, inerte comme
la mort.

Ma mère convolait.

Comme lors des accouchements de ma mère, nous
nous regroupâmes dans la chambre des jumelles, la
plus grande et la plus reculée. Avec les gestes des
opprimés, nous déroulâmes les matelas, sortîmes
couvertures et oreillers des placards. Dans une
lumière diffuse, rassurées par le calme qui régnait
dans la maison, nous chuchotions comme au théâtre.

– Pourquoi maman a-t-elle tant pleuré ? dit Noria.

– Parce qu'elle a peur de ne pas être vierge et
que ça fasse scandale, ricana Amina.

– Ce n'est pas drôle, dit Yasmina.

– Sché quoi vierche ? relança Noria, visiblement
intéressée par la leçon de la jumelle.

– Comme toi, dit encore Amina encline aux taqui-
neries. C'est du moins ce que nous espérons pour
toi, ajouta-t-elle.

Elle émit des gloussements étouffés.

– J'aurais tant voulu être avec elle, dit Fouzia.

– Pour déguster de l'agneau ou pour profiter de
l'érudition de M. Allouchi ? hoqueta Amina.

– Calme-toi, dit Yasmina. Tes rires vont attirer papa.

– Fougiia en a marre du poischon, de la schardine schurtout, et moi auschi.

Puis :

– Mais le mariache est blanc, il ne peut pas y avoir de mouton.

– J'ai senti l'odeur de la viande, protesta Fouzia. Et puis je n'ai jamais assisté à un mariage.

– Pas le droit, dit Amina. On n'a même pas le droit d'assister au mariage de notre propre mère.

– Blanc. Mariache blanc, s'obstina Noria.

– Pourquoi ne chantes-tu pas quelque chose au lieu de dire des sottises ? lui dit Yasmina en passant la main dans ses cheveux.

– Pas le cœur, ma schœur, pas le cœur.

– Allons, allons, maman reviendra très vite, dis-je. En attendant, fredonne-nous un petit refrain comme tu en as le secret.

– Pas le cœur, mes schœurs, pas le cœur.

– Mais oui, qu'elle reviendra, renchérit Amina.

Et de s'esclaffer :

– Elle est juste allée à un rendez-vous, là, chez le voisin, histoire de se changer les idées. C'est très courant à cet âge-là, cette envie de changer d'air, d'avoir du bon temps. Même que c'est papa qui a donné sa bénédiction.

Enfin cessant de rire et la voix grave :

– Comme il ne veut jamais qu'elle se rende aux fêtes, il s'est débrouillé pour en organiser une spécialement en son honneur... C'est bien du Aziz Zeitoun...

– Nous sommes la risée du quartier, coupa Yasmina.

– Le boulanger, ce matin, m'a chargée de féliciter papa ainsi que ma charmante famille, vous en l'occurrence, et m'a souhaité un parti aussi bon que celui de maman. Les clients ont pouffé de rire, dit Amina d'un trait.

– À moi auschi on dit des soses comme scha et sché pour scha que maman pleure.

– On s'en fout des gens, murmurai-je.

– Mais tout le monde sait qu'Allouchi va divorcer de maman et que papa l'épousera de nouveau, dit Yasmina.

– Et si Allouchi ne la répudiait pas ? S'il se mariait avec elle vraiment ? lâcha Fouzia.

– Ta bouche ne s'ouvre que pour déverser du fiel, lui dit Amina.

– Ça ne se peut pas. Il est déjà marié, intervint Yasmina.

– Avec qui ? dit Noria, larmes retenues, yeux trahissant la joie.

– Avec la djinnia et c'est bien connu, dit Yasmina.

– Sché quoi une chinnia ?

– Une Chinoise, railla de nouveau Amina.

– C'est une femme d'un monde où vivent des créatures de Dieu qui nous voient mais qu'on ne peut pas voir. Et tout comme les humains, elles sont capables des pires horreurs comme des grandes noblesses, expliqua Yasmina.

Puis avec un large sourire :

– Mais qu'elles soient dans le camp des bons ou

dans celui des mauvais génies, les djinnias ne tolèrent ni coépouses ni concubines. Fussent-elles de la même trempe qu'elles.

– Tu veux dire que maman est de la trempe des djinnias ! s'exclama Fouzia.

– Elle ne veut rien dire du tout. Et contente-toi d'écouter. Les mots, c'est pas pour toi ! Douze ans qu'on te le répète, nom de Dieu ! dit Amina.

– Elle veut dire que maman reviendra, fis-je.

8.

Titubant et rotant son vin, mon père errait dans la maison ; ses pas maintenant résonnaient dans le couloir. Nous nous tûmes, épiant le moindre bruit, nous attendant à la démolition immédiate des lieux. C'est alors qu'il poussa la porte de la chambre. Nous nous redressâmes, tenaillées par la peur. Le moment était donc venu de nous incriminer de tous les maux, de nous rosser, jusqu'à la meurtrissure et l'évanouissement.

Mais un sourire déchirait le visage adipeux de notre père. Un sourire de contrition, certes, mais un sourire. Même ses yeux mi-clos, bouffis et rougis semblaient baigner dans une triste hilarité. Qu'était-il donc advenu des rugissements du lion ivre ? Que craignait celui qui pouvait acheter et revendre le quartier, et avec lui ses habitants ?

Chancelant, il prit place sur le bord d'un lit. Pendant un instant, il nous scruta d'un œil. Puis, après quelques raclements de gorge, il se lança dans un interminable serment, qu'il conclut par un mot gentil pour chacune de nous. Il jura sur la tombe de ses père, mère et tante, aïeux et aïeules, saints et saintes, devant nous, ses filles, ses meilleurs témoins, qu'il cesserait de boire, dès le lendemain, qu'il irait purifier son âme et ses os à Zamzam, la source de la sainte Kaaba*, que ma mère l'accompagnerait, qu'ils nous rapporteraient des coupons de soie damascène et indienne et même des bijoux pour nos trousseaux de mariage.

Là-dessus, il marqua une pause, son œil ouvert cligna, l'autre s'entrouvrit, et son crâne lisse reflétait la faible lumière de la chambre. Prenait-il conscience de ce que lui coûteraient ces produits de luxe ?

Il se racla de nouveau la gorge et, tirant sur le lobe de son oreille, il poursuivit son monologue, autorisant désormais Fouzia à parler, à discourir, si ça lui chantait, tiens, à propos de chanter, il le lui permettait aussi, à se rompre le gosier, si elle le souhaitait, après tout, il n'était ni à un chalutier ni à un malheur près ; il dispensa Noria de la corvée des chaussures, promit de lui procurer des livres de poésie, de chants, peut-être même un piano, d'engager une orthophoniste pour elle ; il exposa un nouveau plan d'avenir pour les jumelles...

— Vous serez coiffeuses. Je vous achèterai un salon que les meilleurs architectes de la capitale transformeront en un salon digne des coiffeurs de Paris.

— Merci, papa.

— Merci, papa.

— Merschi, papa.

---

* La Mecque.

– Merci, papa.

– Quant à toi, reprit-il en me dévisageant, je ferai venir le marabout le plus compétent du pays qui te débarrassera du démon qui t'habite.

Amusée, je regardai les jumelles qui aussitôt baissèrent les yeux pour les river sur un objet de leur choix.

– Je suis sûr que tu es une bonne fille, poursuivit mon père. Enfin, tu serais une bonne fille si ce n'était ce mauvais génie. Quand tu auras guéri, expié tes fautes et terminé ta formation, je t'achèterai des ordinateurs, des fax, des photocopieurs, tout ce qu'il faudra pour un bureau des plus modernes.

– Merci, papa, dis-je à mon tour.

De nouveau, je cherchai le regard de mes sœurs. Elles n'avaient pas bronché et relevaient tristement les sourcils.

– Vu ? fit mon père, lâchant un rot chargé d'une forte odeur de vin.

– Vu !

– Vu !

– Vu !

– Vu !

– Vu...

– Bien, bien, dit-il.

Il se leva. Avant de tourner les talons, il dit, exultant :

– J'ai retrouvé le papillon. Je l'ai mis sous un verre, soyez gentilles, ne le laissez pas s'échapper, c'est un cadeau pour votre mère. Pour la remercier de sa bravoure.

Et il murmura :

– Après tout, elle n'en voulait pas, de ce mariage.

La porte se ferma sur le silence et l'hébétude. Une pluie fine tarabustait le bitume.

– Schété bien papa ?

– Papa ivre. Très ivre.

– Que Dieu fasse le retour de maman imminent, implora Yasmina en cliquant l'interrupteur de la lampe. Très imminent.

Puis toutes en chœur :

– Amen. Très amen.

Mais qu'était-ce donc cela qui m'habitait ? Quelle faute devais-je expier ? Mon père ne tenait décidément pas le vin.

Des coups de feu déchirèrent la nuit. Je bondis de mon lit. J'allumai et m'approchai de la fenêtre. Il était plus de minuit. Au-dessus, quelqu'un marchait. Mes sœurs dormaient profondément. Noria, ligotée à son lit par ses propres soins, zézayait dans son sommeil de somnambule contrariée. Fouzia, à qui on n'avait pas encore ôté les végétations, ronflait à poings fermés. Jambes entrelacées, tremblures identiques de la paupière, les jumelles flottaient dans le même monde onirique.

Je tendis l'oreille. Plus de détonation. J'avais rêvé. Il n'y avait pas de doute. Je me recouchai, la tête enfouie sous les couvertures. Dès que le sommeil me gagna, une fête sur fond de baroud nuptial battit mes paupières. Un mauvais génie appuyait sur la détente. Sous l'œil impuissant d'Aziz le pêcheur.

9.

Le lendemain, nous fûmes réveillées par le prêche hebdomadaire et le soleil qui forçait nos persiennes. Ma mère, qui exigeait que tout fût accompli avant dix heures, heure à laquelle mon père rentrait du marché, n'aurait guère apprécié cet écart. Et même si la prière n'était pas inscrite sur la feuille de route, même si les voisins n'avaient aucun droit de regard sur notre vie, même si ces derniers trois mois ma mère avait habité chez son fils, c'était comme si...

Les lumières de la cuisine et du salon avaient brûlé toute la nuit. La télévision était allumée sur la première chaîne de l'Hexagone – depuis la répudiation, mon père s'égarait dans la salle d'audience des Je-te-divorce-Tu-me-divorces. Ou quelque chose dans ce goût-là.

Point de père dans les parages. Serait-il encore au marché ?

Noria et Fouzia ne tardèrent pas à le découvrir dans la loggia. Vêtu de son seul caleçon, son corps épais et velu coincé entre une caisse de pommes de terre et un jerricane d'eau, notre père dormait du sommeil du juste. Des bouteilles de vin vides roulaient à ses pieds. Une odeur de vomi montait de sa couche de fortune. Nos bruits le réveillèrent. Il cligna les yeux, les ouvrit avec peine.

— Nayla, marmonna-t-il.

Rêvait-il encore ?

Puis, le regard torve :

— Où est-elle ? Où est votre mère ?

— Sché auchourd'hui qu'elle revient ? dit Noria, les yeux exorbités de bonheur.

Ne serait-il pas flagrant pour l'opinion alentour qu'elle revînt au logis initial à peine introduite dans le second ?

Louchant vers Fouzia, il dit :

— Omar, tuteur de mes deux, où est passée ta mère ?

— Au mariage, répondit Fouzia. Tu ne t'en souviens pas ?

Il ne se souvenait que de ce qu'il voulait, mon père, qui brailla :

— Je te couperai les vivres, fils de crétin !

Fouzia, confiante en la vie et en ses miraculeux retournements, éprise d'un besoin inextinguible de se rompre le gosier, n'avait nullement l'intention de laisser son père passer outre les promesses et les autorisations de la veille.

Alors, gesticulant exagérément, elle poursuivit :

— Le mariage, tu sais. Le mariage blanc, parce que c'est la volonté de la Chinoise.

Là-dessus, notre père recouvra son acuité.

— Hors de ma vue ! Poisse des poisses ! Hors de ma vie ! Pyromane ! Matricide ! Tanticide ! beugla-t-il.

Alerte au danger, Noria tira Fouzia par le bras, lui signifiant d'arrêter. Mais Fouzia ne prit pas au sérieux la sagacité de sa sœur et ne se tut qu'une fois reçue la stridente gifle qui l'étala sur le sol.

Mon père enjamba sa fille et débaula dans la maison, les fesses lourdes et molles, s'entrechoquant et claquant. Au beau milieu de la terrasse, ignorant sa quasi-nudité et les regards derrière les fenêtres, il exécutait des mouvements de gymnastique, qu'il interrompit très vite pour scruter la maison des nouveaux mariés. Elle semblait vide. Ou trop habitée, hennit mon père.

— Cette nuit il est allé jusqu'à tirer des coups de baroud, et ce matin il fait un gros dodo, dit-il.

Tandis qu'il se lançait dans une véhémente diatribe contre les impuissants et les possédés de la terre entière, Khadija fit irruption. Des cernes bleus entouraient ses yeux, et ses lèvres diaphanes se fondaient dans la pâleur de son visage.

À la vue de mon père gigotant et ergotant, elle rebroussa chemin aussi discrètement qu'elle était venue.

— Qu'ai-je à solliciter l'aide d'un homme qui n'a plus figure humaine ? Dieu sera mon allié, Dieu seul sera mon allié, murmura-t-elle.

Ses visites chez nous se limitant aux cas d'urgence, je pensai qu'un des nourrissons était malade. Je la rattrapai sur le palier.

— Qu'y a-t-il, Khadija ? Est-ce que Zanouba est malade ? Moud va bien ?

— Mahmoud, corrigea-t-elle, hostile aux chichis de la vie.

Puis :

– Mahmoud et Zanouba vont bien. C'est Omar. Il n'est pas rentré.

Pendant un instant, je restai sans voix ; ce n'était effectivement pas dans les habitudes de mon frère.

– Où crois-tu qu'il soit ?

– Ils ont tiré dans la nuit, dit-elle. Il ne reviendra plus. Mort ou vif, ils ne me le rendront jamais.

Malgré son air froid et buté, je tentai de la rassurer.

– J'ai entendu les coups de feu. Et papa aussi. Mais c'était chez Allouchi, pour le mariage, dis-je. Omar est certainement en mer ; il a dû y aller juste après la fête qui s'est terminée tard, ajoutai-je.

– Je sais de quoi je parle, trancha-t-elle.

– De quoi parles-tu ?

Elle s'éloignait. Je m'agrippai à son bras.

– Dieu est omniscient, dit-elle.

– Oui, dis-je. Mais que sais-tu que nous ne sachions pas ?

Elle libéra son bras de mon étreinte et, pour la première fois depuis son arrivée chez nous, celle qui avait été mon amie me regarda droit dans les yeux.

– Pourquoi ne te repens-tu pas ? demanda-t-elle brusquement.

– Pourquoi quoi ?

– De ce que tu as fait, bernant les autres et ton propre frère qui croit te venger et le fait au détriment de ses convictions.

Elle se tut un bref instant. Puis, sans me laisser placer un mot, elle reprit :

– Dieu est juste, je vais prier pour qu'Il ait pitié de mon mari et de l'âme de ton enfant.

Je la regardai monter l'escalier d'un pas d'outre-tombe. Que répondre au délire ? Qui de nous deux déjantait ?

Quelle que soit la réponse, c'est ce jour-là que la folie fit une réelle apparition chez nous.

10.

Mon père fuma cigarette sur cigarette, but du café, avala le couscous au lait sans lâcher des yeux la maison de notre voisin d'où rien ne filtrait. À la nuit tombée, les réverbères ne s'allumèrent pas, et le quartier fut englouti dans une obscurité inquiétante.

Lorsque mon père quitta enfin la terrasse pour s'enfermer dans la salle de bains, nous recouvrâmes la parole et je demandai à Yasmina d'aller s'enquérir du retour de mon frère. Elle revint quelques instants plus tard, Zanouba dans les bras.

– Maman l'a oubliée, dit-elle.

– C'est un peu normal, ricana Amina.

– Et Omar ? dis-je.

– Il n'est toujours pas rentré, dit Yasmina. Il faut que je retourne là-haut chercher Moud, ajouta-t-elle en déchargeant la petite dans mes bras.

– Pourquoi vas-tu chercher Moud ?

– Sa mère doit s'absenter.

– Pour aller où ?

– Probablement à la recherche de son mari.

– Khadija est en train de perdre la raison, dis-je. Puis je relatai ce qu'elle m'avait dit sur le palier.

Mes sœurs me regardèrent longuement, quelque chose comme de la douleur éteignait leurs pupilles.

– J'ai peur que ce soit très grave, fis-je.

Je rompis le silence avec un petit rire.

– Prier pour l'âme de mon enfant ? Mon frère qui me venge... Elle est vraiment fatiguée...

– Oui, oui, dit Yasmina. Sûrement. Je vais chercher Moud.

– C'est quoi ce départ ? demandai-je à Amina.

– Qu'est-ce que j'en sais ? Elle va peut-être chez sa mère...

– Ou au Triangle-des-Équarrisseurs ? dit Fouzia.

– Tu n'as pas le droit de parler de ça, s'écria Amina. Papa te scalperait s'il t'entendait.

– Elle est folle. Khadija a perdu la tête. Prier pour l'âme de mon enfant, je n'en reviens pas, répétai-je, cherchant en vain une cohérence dans les propos de ma belle-sœur.

– Omar ne sait pas se taire, souffla Fouzia en faisant des guilis à Zanouba.

Noria me fixait. Sa bouche béait.

– Moi non plus, che me schouviens de rien, lâchat-elle.

Des visions d'épouvante, d'insaisissables réminiscences percutèrent mes lobes frontaux. Alors, durant un long moment, mes sœurs se mirent à tanguer, à vibrer, comme secouées par une force invisible. Quand je voulus intervenir, ne sachant qui secourir en premier, je m'écroulai, les braillements de Zanouba plein la tête.

11.

Dans un miroir déformant, une fille en blouse blanche, qui me ressemble à s'y méprendre, dit à un homme, le portrait craché d'Aziz Zeitoun, mon père :

– Je n'y suis pour rien... Nous avons été enlevées à la sortie de l'hôpital.

La réplique de mon père, sourcils froncés, lèvres pincées :

– Et que vous ont-ils fait, ces ravisseurs ?

– Ils nous ont logées au Triangle...

Mais l'homme s'énerve.

Il la coupe :

– À part ça, que vous ont-ils fait ? Parce que de demande de rançon, je n'en ai pas eu vent et, de toute façon, je ne l'aurais point payée.

– Ils ne voulaient pas d'argent.

Il tonne :

– Que vous ont-ils fait ?

– Ils ont violé certaines d'entre nous et égorgé les autres.

– Mais à toi ! qu'ont-ils fait, à toi, la soi-disant infirmière au service des faibles ?

– Ils m'ont égorgée, répond alors la jeune fille.

Sans ciller.

L'homme se détend. Il applaudit longuement ; un frémissement de fierté enjolive sa moustache. Tout à coup, voilà qu'il se crispe. L'œil incrédule, le visage fermé, il observe avec ahurissement le ventre de la fille qui grossit de façon surprenante. À travers sa chair, celle-ci semble voir ce qui l'emplit. Je voulus aussi regarder à l'intérieur de ce ventre qui n'en finissait pas de s'arrondir, mais la voix et les petites caresses de Yasmina mirent fin à ma curiosité.

Dans la faible lueur de la chambre, je distinguai à peine le visage de ma sœur et le rêve avait déjà rejoint les limbes de ma mémoire.

– Ça va ? dit-elle.

– Oui.

C'était vrai, je me sentais bien, légère, comme soulagée d'un fardeau dont j'ignorais la nature.

– On s'est prises à trois pour te coucher. Pourtant tu es maigre comme un clou. À mon avis, tu dois faire des chutes de tension, ou quelque chose comme ça, dit-elle. En tombant, tu as failli blesser Zanouba ; elle s'en est sortie avec une petite bosse sur le front.

– Et Omar ?

– Toujours pas rentré et papa est encore dans la salle de bains.

– Des nouvelles de la maison d'en face ?

– Il y a eu quelques secousses. Rien de grave, mais le quartier est dans le noir absolu : panne générale. On n'a même pas entendu la prière du soir.

Seule notre maison est éclairée, et notre générateur commence à faiblir. En plus, il pleut des cordes.

Le tonnerre grondait.

– Appelons chez Allouchi, dis-je en quittant le lit.

– Le téléphone est coupé.

– Alors sortons, allons voir ce qui se passe chez lui.

– Tu n'y penses pas...

– Si, si, j'y pense.

– Et papa ? Que fais-tu de papa ? Et il faut que tu manges, tu n'as rien avalé de la journée. Tu vas retomber dans les pommes.

– De papa, je fais mon affaire et je mangerai plus tard.

Une pluie battante lavait la ville. Yasmina me suivit à contrecœur et en claquant des dents. Nos fenêtres, sur ordre du chef de famille, étaient restées ouvertes. L'orage cessa. Le ciel s'éclaircissait. L'air fraîchissait. La ville se mouvait lentement sous une lune prête à dégorger.

À pas de loup, je me dirigeai vers la salle de bains. Et comme feu ma grand-tante et ma mère auraient agi, je collai l'oreille à la porte. Les toussotements de notre père entrecoupés de murmures nous rassurèrent sans nous renseigner pour autant sur ce qu'il fabriquait.

– De la sorcellerie, dit Yasmina.

Nous échangeâmes un regard entendu et je me baissai vers le trou de la serrure. Vêtu de son seul caleçon, assis à même le marbre, Aziz Zeitoun contemplait le papillon de nuit qui se cognait contre

les parois du verre renversé. Je blêmis et m'effaçai,
cédant la place à ma sœur.

– C'est pas bien grave, murmura-t-elle en haus-
sant les épaules. Nous l'avons vu faire pire que ça.

– Mais ça n'est même pas de la sorcellerie !

– Et alors ? Il perd un peu la boule. Ça lui passera.

– Je vais lui parler.

– Lui dire quoi ?

– Tu vas voir. S'il réagit, on ne prend pas le
risque d'aller chez Allouchi.

Je posai mon front contre la porte, et, je ne sais
pourquoi, je cherchai à imiter les intonations de ma
grand-tante. Je susurrai :

– Prunelle des yeux de mon frère, parle-moi. Parle
à ta tante.

Yasmina me tira brutalement par le bras et, sans
qu'un son sorte de sa bouche, ses lèvres dessinèrent
les mots suivants :

– Cinglée. Tu es vraiment cinglée.

À ce moment-là, la voix de mon père s'éleva :

– Qui m'a maudit a dit et égrené son chapelet
jusqu'aux aurores.

Puis gémissant :

– Sauve-moi, ma tante, dis-moi ce qu'il me faut
faire.

Nous fîmes deux bonds en arrière et détalâmes,
pourchassées par un spectre.

Plus tard dans la nuit, alors que Yasmina et moi
cherchions avec peine le sommeil, mon père surgit
de l'ombre. Entortillé dans une serviette en éponge,

rasé de près, il fleurait bon l'eau de Cologne, comme dans les grandes occasions.

– Il me faut aller en face, dit-il. L'une de vous va m'accompagner.

Yasmina, craignant le scandale que mon père ne manquerait pas de déclencher, me signifia qu'elle se défilait en me pinçant discrètement le bras. Avais-je moins à perdre que ma sœur en m'offrant en spectacle au voisinage, en escortant mon père qui n'allait pas rater l'occasion d'attirer l'attention ? J'étais un peu vexée mais me dévouai. D'ailleurs, j'étais réputée pour avoir la mémoire fragile et le pardon facile...

Passons.

– Vous n'en parlerez à personne. Surtout pas à Omar, lâcha mon père d'un ton presque normal.

Yasmina ouvrit la bouche pour dire quelque chose, mais se ravisa. J'en fis autant. À quoi bon ? Mon père ne se préoccupait que du bien qu'il craignait de perdre à jamais.

J'enfilai un manteau par-dessus ma chemise de nuit ; j'eus peur que mon père ne sortît dans sa serviette de bain. Mais il alla se vêtir d'un vieux costume embaumant la naphtaline.

Nos yeux s'habituèrent très vite à la clarté de la lune, et je regrettai la densité bleue de la nuit. Le souffle coupé, je concentrai mes esprits sur les baragouinages de mon père, des prières à l'adresse de ses ancêtres et de sa tante. Essayant de les démêler, je me surpris à les détourner en faveur de ma mère.

Nous traversâmes la petite rue, maintenant déserte, autrefois animée jusqu'à l'aube par des rires, des

colères, des parties de cartes et de dames. Tels deux
rôdeurs, nous pénétrâmes dans le jardin d'Allouchi
et gagnâmes la porte, les chaussures lourdes de boue.
Mon père se mit sur le côté et, par de grands gestes,
m'intima de frapper. Je m'exécutai. Le rossignol se
tut.

– Plus fort, souffla-t-il.

Je serrai le poing, ramassai mes forces et cognai.
Au premier coup, la porte céda dans un bruit assour-
dissant et sur des trombes de ténèbres. Un chat
miaula et bondit. Je l'évitai de justesse. Des volets
claquèrent. On nous épiait. Mais mon père n'en avait
cure, qui me demanda de le précéder et craqua une
allumette. Une odeur de patchouli flottait dans l'air.
Les tic-tac acharnés d'une montre martelaient mes
nerfs.

L'allumette se consuma.

– Allume, dit mon père, jurant puis humectant ses
doigts de salive.

Trébuchant, maudissant les mariages, qu'ils fussent blancs, de jouissance, de raison ou pour la vie,
je réussis à atteindre un mur. Je tâtonnai, assaillie
par des frayeurs surgies tout d'un coup de mes souvenirs d'enfant. Mes doigts frôlèrent enfin un interrupteur. Je le fis jouer. La lumière ne fut pas.
Pourquoi, mon Dieu ?

– C'est un enlèvement, murmura mon père. Il
ne s'en dépêtrera pas facilement, poursuivit-il en
craquant une deuxième allumette qu'il souffla
aussitôt.

En un rien de temps, car, malgré son poids hippopotamesque, mon père pouvait être aussi agile qu'un félin, il se trouva dans le jardin.

— Un enlèvement ! C'est un enlèvement ! J'en aviserai qui de droit ! J'en aviserai qui de fait ! clamait-il.

12.

Partie sur une onomatopée, je réussis à dire :
– Omar aussi a disparu.
– Qu'il disparaisse ! vociféra mon père. Qu'il disparaisse ! Puisque c'est devenu une habitude dans cette famille !

Des volets se refermèrent. Alentour, on refusait d'être pris à témoin.

– Mais qu'il ne me revienne pas enceinte, dit mon père, baissant la voix.

De plusieurs tons.

Réprimant un rire, je le talonnai, pressée de retrouver nos murs. De m'y enfermer et d'oublier. Oublier les voisins et leurs sarcasmes. M'y réfugier du reste du monde et de ses horreurs.

Mais mon père s'immobilisa sur le seuil de la porte. Et, comme s'il eût crié : eurêka ! il fit claquer ses doigts.

– Attends, dit-il, au moment où je m'engouffrais dans l'entrée.

Il visait le bout de la rue, là où habitait la femme engagée pour chaperonner Nayla.

Non, Aziz Zeitoun ! Pitié ! Non ! Suffit !

Mais pas un son ne sortit de ma gorge.

Aziz dit :

– Allons-y.

Je déglutis.

Nous voilà longeant la rue, effrayant et chassant sur notre passage les chats faméliques en quête de pitance. Nous voilà devenus des pantins distrayant et ranimant les soirées moroses de la rue où Aziz le pêcheur finirait bientôt de faire la pluie et le beau temps.

La femme mit du temps avant de nous répondre.

– Ah ! c'est vous, sidi... pardonnez-moi, je craignais... avec toutes ces secousses... vous savez...

Elle fit jouer des verrous, sauter des cadenas, nous ouvrit enfin et nous reçut comme on accueille l'affliction. La flamme de sa bougie en grelottait. Dans la pénombre de son unique pièce, ses enfants dormaient en enfilade sur des matelas jetés sur le sol. Une odeur de friture collait aux murs. Reniflant avec bruit, mon père fouilla la pièce du regard. Espérait-il trouver ma mère ici ? Mais elle n'y était pas. Non plus l'effluve de son tenace parfum.

La femme nous offrit des sièges. Nous restâmes debout.

– Alors, la veuve ? Quelles sont les nouvelles ?

– Doucement, sidi Aziz. S'il vous plaît, ne réveillez pas mes petits, supplia-t-elle, insensible au rappel de son veuvage face auquel toute femme devait faire montre d'humilité, de honte...

Passons.

– Ils ont bien mangé, au moins ? Le poisson était-il frais ?

– Je vous rembourserai... jusqu'au dernier centime... jusqu'à la dernière sardine..., trembla la femme.

– Je ne suis pas venu pour ça !

– Je sais, sidi Aziz, je sais... Mais, après les secousses, tout le monde est parti...

– De quoi tu parles, la veuve ?

– Des balles qui sifflaient... je veux dire des secousses de la nuit dernière.

– Cesse tes balivernes, trancha mon père. Ce que je veux savoir c'est ce qu'est devenue ma femme, la femme que tu devais veiller...

– Je ne sais pas..., frissonna-t-elle.

– Que veut dire ce JE NE SAIS PAS ? mugit mon père.

Les enfants s'agitèrent. L'un d'eux poussa un gémissement.

– Ils ont pris le train ce matin, de très bonne heure, lâcha la femme, en jetant des regards inquiets autour d'elle.

Mon père fronça les sourcils, plissa le front.

– Quel train ? Qui a pris le train ?

– Eux deux, Allouchi et Nayla... Le train qui va à la capitale, je crois...

Le menton de mon père dégouttait de stupeur.

– Je vous jure, sidi, reprit-elle, je ne pouvais pas rester plus longtemps... J'avais laissé seuls mes enfants, et Allouchi me sommait de rentrer chez moi, sa femme, je veux dire Mme Nayla, me priait aussi de partir... Ce matin, ils avaient l'air pressé... Je le tiens d'une voisine, j'ai aussi appris...

— Qu'as-tu appris, la veuve ?

— Vous savez ce qu'on peut être jaloux et mauvaise langue dans ce quartier, dit-elle, battant l'air de sa main, comme si tout d'un coup elle avait chaud.

— Continue, siffla mon père.

— On dit qu'Allouchi et Nayla... Eh bien, on dit que c'est une histoire qui ne date pas d'hier, qu'on les aurait souvent vus ensemble... Que ce qu'on croyait être l'œuvre de la djinnia n'est autre que celle de votre... enfin de...

Pour s'empêcher de prononcer le nom de ma mère, elle posa brusquement deux doigts sur sa bouche et une main sur sa poitrine, une façon de signifier, à elle-même plus qu'à nous, qu'elle l'avait échappé belle.

Adossé à la porte, mon père semblait sur le point de défaillir.

— Où les a-t-on vus ? finit-il par dire.

— Vous n'y êtes pour rien, sidi, marmonna la voisine en baissant les yeux. Aucun homme hélas ! ne peut contrôler une femme habitée par Satan... Quand elles ont chopé ça...

— Où les a-t-on vus ? répéta mon père en soufflant comme un buffle.

— Je ne peux rien affirmer, Dieu m'est témoin, je ne veux pas griller du feu des médisants, bougonna la femme.

— Si tu ne parles pas je te ferai connaître l'enfer avant ton heure !

– Personnellement, je les ai vus prendre un taxi, l'hiver dernier, je crois. Allouchi arrêtait le taxi, et elle paraissait très inquiète, mais ne se souciait pas de se cacher, comme si nous autres n'existions pas. J'ai mis du temps avant de la reconnaître. Ensuite je l'ai reconnue à ses cheveux, son voile glissait tout le temps, elle semblait avoir perdu l'habitude de s'en servir. Parfois, elle négligeait de le remettre.

Elle se tut.

Puis, comme pour complimenter mon père, ou pour le consoler, bref, terrorisée, elle reprit :

– Elle a de si jolis cheveux, je ne pouvais pas les avoir oubliés, elle les lavait avec tant de délicatesse, autrefois, au hammam...

– Je m'en doutais, marmonna mon père, l'air absorbé.

J'avais une vague idée de l'histoire du taxi, Omar aussi la savait, qui démêlerait ces méprises. Ce n'était qu'une question de temps et certainement pas mes affaires.

Avant de sortir, mon père dit :

– Ne me rembourse pas, la veuve. Mais tu témoigneras quand j'aurai avisé qui de droit. Et qui de fait.

13.

Il n'avisa pas qui de droit mais seulement qui de fait. Il fit donc venir notre conseiller en affaires religieuses, lui offrit du thé, des pâtisseries et lui narra la disparition du couple adultérin.

– Il est on ne peut plus légitime, rectifia l'imam d'un ton neutre.

Mon père s'agita un peu mais garda son calme.

– Puisque je vous le dis, souffla-t-il sans lâcher des yeux l'imam.

– Je les ai mariés, rappela l'imam.

– Ce n'est pas de ça que je parle. Je vous parle de leur liaison avant ce prétendu mariage.

– J'entends bien, dit l'imam sans sourciller. Mais je n'ai rien vu, rien entendu.

– Eh bien, entendez-le maintenant. À défaut de le voir, puisqu'ils ne sont plus dans le quartier.

– Leur adultère, si adultère il y a eu, est à présent expié, absous. Dieu est pardon.

– Ne me dites pas que vous y avez cru, à ce mariage, répliqua mon père sans perdre patience.

Puis il lâcha :

– L'enlèvement ne figure pas dans le contrat.

– De quel contrat parlez-vous ?

– Notre contrat, vous savez bien.

L'imam ignora les clins d'œil qu'Aziz le pêcheur lui lançait en signe de complicité.

– Je n'ai pas souvenance d'un contrat nous liant, dit l'imam en jetant un regard furtif en direction de la sortie.

– Enfin, l'imam ! Auriez-vous oublié qui je suis ?

– Aziz Zeitoun le pêcheur.

– Et le bienfaiteur ! s'exclama mon père en brandissant un index.

Une façon de rappeler à l'ordre son interlocuteur.

– Qu'à Dieu ne plaise, dit l'imam.

Il se mit à réciter un verset vénérant la grandeur d'Allah.

Mon père exultait.

– Bon, dit-il.

Il appliqua alors une tape amicale sur l'épaule de l'homme.

– Bon, reprit-il. Ce n'est là qu'un malentendu sans gravité. Oublions tout cela. À présent, il s'agit de retrouver la mère de mes enfants. On ne va pas laisser cet homme emballer nos femmes en toute impunité. Retournez ciel et terre et retrouvez-moi ce traître. Soyez diligent, l'imam, et vous serez récompensé en conséquence.

Mais les cajoleries comme les admonestations d'Aziz le pêcheur glissaient sur notre homme de loi.

– Ensuite, nous aviserons les autorités des actes néfastes de ce traître, poursuivit mon père.

– Youssef Allouchi est en congé, dit l'imam. Pour cause de mariage. Et, quoi qu'on en dise, il n'a pas disparu, il est parti avec la bénédiction d'Allah dans le cœur et un livret de famille en bonne et due forme dans ses bagages.

Mon père écarquilla les yeux puis, comme pris de surdité, il fourra un annulaire dans son oreille et se mit à le secouer énergiquement.

— Attendez, dit-il. Je crois qu'on ne parle pas de la même chose, en tout cas pas de la même façon. Je vous répète que mon voisin a enlevé ma femme.

— Vous êtes divorcé civilement devant témoins et religieusement de votre propre fait, dit l'imam, impassible. Allouchi a tenu à régler les choses comme il se devait. Il ne voulait pas prendre le risque, précisément, d'être calomnié d'adultère. Évidemment, je ne pouvais qu'approuver. Mon rôle est de me plier aux désirs des croyants. Nous avons donc témoigné, continua-t-il, regardant de nouveau vers la sortie.

— Qui a donc témoigné, l'imam ?

— Votre fils et moi, dit l'imam.

— Omar et vous ?

Jusque-là affalé dans un fauteuil, presque détendu, mon père subitement se redressa et approcha son visage de celui de l'imam.

— Répète un peu ce que tu viens de dire, lança-t-il dans un tonitruant murmure.

— Je vous avais prévenu, dit l'imam sans se soucier du tutoiement. Je vous avais bien prévenu que les choses se feraient dans les règles : témoins, tuteur *et cetera*. Le *et cetera* contenait le « divorce civil ». Telles étaient mes conditions. Et si votre voisin répu-

diait sa femme et que vous la repreniez... Aussi les
mêmes conditions.

Comme à chaque contrariété, mon père se mit à
trembler de tout son corps et à baigner dans sa sueur.
Pendant un court instant, il garda le silence. Il semblait ordonner ses pensées.

Bouche bée, yeux effarés, il annonça :

– On recommence depuis le début.

– Je suis désolé, bougonna l'imam. Mais telles
étaient mes conditions...

Là-dessus, mon père retrouva son énergie et sa
voix de roi de la jungle.

– Tu vas voir à quoi je vais réduire la tienne de
condition, l'imam ! Tu vas voir où te mèneront tes
décisions ! Tu vas couler dans un caniveau, l'imam !
Je vais t'y noyer ! Tu peux me croire et ce n'est pas
Allouchi, ce scribouillard de mes deux, qui t'en sor-
tira.

L'imam bondit de son siège. D'une main, il
retroussa sa gandoura, de l'autre il retint sa calotte
et, avant que mon père n'ait pu réagir, l'homme filait
sur ses jambettes, glabres et décharnées. Nous bénis-
sant au passage, il descendit l'escalier comme un
cabri.

Mon père se lança à sa poursuite.

– Combien t'a-t-il payé pour comploter avec lui
cet enlèvement ? Peut-être t'es-tu seulement satisfait
d'une lecture du Coran en évitant soigneusement :
La femme de ton voisin, tu ne toucheras point ? bar-
rissait-il.

Mais notre père ne franchit pas le seuil de la porte.

14.

Il ne sortait plus de la maison, ne se montrait même pas sur la terrasse. Enfermé dans sa chambre, l'esprit brumeux, il parlait à sa tante, faisant l'apologie de la peine de mort, des bourreaux et de toutes les législations, religieuses ou non, monothéistes ou non, condamnant les adultères de quelque nature qu'ils fussent, appelant à la pendaison des traîtres et à la lapidation des femmes sans vertu. Pour s'approvisionner en vin, soulager sa vessie ou son estomac, il se résignait à quitter son antre, la démarche engourdie, les yeux réduits à une fente. Il passait devant nous sans nous voir, sans nous entendre. Sa tante avait maintenant investi son champ de vision et ses pavillons auditifs.

Notre père ne se ressemblait plus ; un inconnu, un étranger rôdait dans notre logis, buvait son vin, occupait sa chambre. Aziz le pêcheur lâcha donc les rênes, démissionna. Il plongeait dans les abysses, la tête la première, la dignité en loques. Plus que du désespoir de savoir son épouse envolée, ou volée, peu importait, père souffrait des affres du déshonneur, cet horrible sort réduisant le plus robuste des mâles à rien, au néant, l'obligeant à se défaire de sa moustache, à troquer son pantalon contre une djebbah, à se cloîtrer, la compagnie des hommes, les vrais, lui étant désormais proscrite. Ces mêmes hommes, nos voisins, frisaient la moustache avec ostentation, redressaient le buste et le menton. Malgré tout, ils renforçaient persiennes et portes, barricadant ainsi leurs femmes et avec elles toute velléité de les doubler, personne n'étant à l'abri de ce que vous savez... Ce que femme veut... La femme d'Aziz le pêcheur, la bru de Mahmoud Zeitoun, cette orpheline tirée du ruisseau...

Qui l'eût cru ?

Au lieu de nous alarmer, cette défection de notre père, son délire, sa retraite, surtout, nous réjouirent. Désormais, et pourvu que cela durât, nous étions maîtres à bord. Les jumelles cessèrent leur vagabondage forcé et s'occupaient des deux nourrissons comme si elles les avaient enfantés. Entre un biberon et une séance de talc, elles se croquaient le portrait, ou celui de leurs protégés, se félicitant du résultat, pirouettant, s'applaudissant et se promettant d'atteindre bientôt les sommets de la célébrité. Elles se fixèrent deux années pour achever leur œuvre. Elles transformeraient alors en galerie la grande pièce du rez-de-chaussée qui donnait directement sur le jardin. Elles la baptiseraient de leurs noms, enverraient des catalogues au ministère de la Culture, des invitations aux journaux, aux huiles et aux amis...

Je passais mes soirées à regarder la télé et à fumer des cigarettes subtilisées dans l'armoire de mon père. Le matin, la bouche amère et le teint terne des noceurs, caressant le dessein de mettre fin à mes études, je me lançais sur le chemin de la vie active, les entrailles en nœuds, les jambes de plomb, bifurquant, louvoyant vers l'ennui.

L'entretien de la maison et la broderie étaient alors mes seules aspirations. De toute façon, l'idée de devoir passer ma vie à taper sur une machine m'avait toujours révulsée. De plus, j'oubliais aussitôt ce que j'apprenais ; l'année scolaire tirait à sa fin et, contrairement à mes camarades qui, elles, frappaient sur les touches en bavardant, ou l'esprit ailleurs, je ne pouvais pas construire une ligne sans fixer le clavier. Bref, mes enseignants désespéraient de mon manque de dextérité et de mes défaillances. Ne s'occupaient plus de moi. Je leur en fus reconnaissante.

Notre réfrigérateur se vidait, nos repas devenaient frugaux, et, lorsque nous nous attaquâmes aux réserves prévues pour l'hiver, les tomates marinées dans l'huile d'olive, la graisse salée et séchée, je renonçai définitivement à ma formation de dactylo.

— C'est toi qui sais, dit Yasmina.

— Je suis sûre que tu fais bien, dit Amina. Plus on est de folles, plus on s'amuse.

Je dressai mes plans, puis les appliquai avec minutie. Je téléphonai aux copines qui entassaient draps et nappes, robes et caftans, en vue de leurs noces sinon prochaines du moins probables. Je leur proposai mes services, à bas prix, les priant par là

même de me trouver des clientes ; j'envoyai une
annonce au journal le plus lu de la région dans
laquelle je déclinai mon art, mes tarifs, notre numéro
de téléphone et je m'installai un coin clair dans le
salon. J'attendis...

Au cours de cette léthargie de mon père, nous
reçûmes de Khadija une lettre postée de la capitale
où elle nous demandait de bien prendre soin de son
fils, nous annonçait son retour, sans préciser la date,
ni si elle avait des nouvelles de son mari. À dire
vrai, de son absence, comme de celle de notre frère,
nous finissions par nous moquer. Nous avions beaucoup à faire et peu de temps pour y penser.

La maison de notre voisin demeurait close et
déserte, son jardin se délabrait, ses plantes rabougris-
saient, le rossignol s'était tu depuis longtemps, avait
quitté les lieux pour d'autres senteurs florales, et
l'adultère de notre mère ne souffrait plus aucun
doute... Après tout, ce que femme voulait.
Derrière la porte de sa chambre, mon père se
noyait dans son vin, s'embourbait dans ses supputa-
tions, s'étranglait de remords.
Après tout...
Ils ne réapparaissaient pas.
N'avaient-ils pas pris le train de leur plein gré ?
Aurait-il pu deviner ce qu'elle faisait seule à la
maison ?
Il aurait dû mettre des cadenas aux portes...
Non, il aurait dû s'enfermer avec elle.
Ses enfants étaient-ils les siens ?

Les Zeitoun n'engendraient pas autant de filles. Et si filles il y avait, elles étaient vertueuses, ne découchaient pas, ne se laissaient pas violer, ne répudiaient pas leur mari, ne corrompaient pas les imams, ne manipulaient pas leurs fils. N'est-ce pas ? ô ma tante ! Ô sa tante ! quel affront !

Si Youssef Allouchi ne s'était jamais marié, c'est qu'il n'en avait pas besoin ; sa belle était à portée de main. Mon père préférait dire de main, par respect, mais sa tante saurait traduire !

Oui, oui, il aurait dû se fier à la sagesse de sa tante, l'écouter et ne jamais répudier sa première femme, cette pauvre cousine frappée de laideur et de stérilité, morte de chagrin. D'ailleurs, les enfants qu'il n'avait pas eus de sa cousine, le mal venait peut-être de lui.

Ah ! ma tante, qui fais maintenant des cabrioles dans ton ultime et humide demeure, cela expliquerait la descendance de ce traître sous mon propre toit... Oui, ma tante, la chair fraîche de cette fille de Satan m'avait fait tourner la tête. Ma tête de naïf. *Mea culpa*, ma tante.

Ô ma tante ! dis-moi que ces secousses ne sont que cauchemars, que le ciel redeviendra bleu.

15.

Les jumelles finissaient de dresser la table ; Noria et Fouzia révisaient leurs cours pour les compositions de fin d'année ; je brodais, l'oreille tendue vers le couloir d'où les lamentations de notre déchu père se mouraient.

— Oui, après tout, hasarda Amina.

— Enfin, cessons d'être ridicules, répliqua Yasmina. Maman a fui la honte. Et Omar aussi, d'ailleurs.

Puis :

— Qui pourrait imaginer maman s'adonnant à des activités pareilles ? C'est à peine si elle avait le temps de s'occuper de la maison.

— Allouchi avait-il besoin de fuir, lui ? rétorqua Amina.

— Il a toujours eu l'habitude de disparaître. Nous le reverrons bientôt.

— Moi ça ne me déplairait pas d'être la fille d'Allouchi...

— Regarde-nous. Nous sommes le portrait craché de papa...

— Alors, d'après toi, où serait maman ? dit Amina.

– Certainement au bled, chez son frère à attendre
la fin des trois mois pour venir se remarier avec papa.
Je suis sûre qu'Allouchi a tenu sa promesse...

– Et le divorce civil ? dit Amina.

– C'est comme a dit l'imam, pour éviter les médisances.

– Mon petit doigt me dit qu'Allouchi est tombé
en amour, s'obstina Amina. Peut-être l'était-il déjà ?
ajouta-t-elle en regardant sa sœur de biais.

– Pourquoi faut-il toujours que tu débites des
conneries ? s'écria Yasmina. Surtout en présence des
petites.

– Schuis pas petite.

– Moi non plus.

– Parce que moi j'y crois, à l'amour ! J'y crois et
je m'incline devant ses adeptes.

– Moi auschi.

– Moi aussi, répéta Fouzia.

– Voilà le résultat de tes nouvelles lectures, soupira Yasmina.

– J'ai aussi des lectures pieuses qu'approuverait
et applaudirait notre sainte belle-sœur. Savais-tu, par
exemple, qu'une femme malheureuse dans son
mariage connaît les délices de l'amour dans l'au-
delà ? Une autre vie, de nouveaux enfants ? C'est
écrit noir sur blanc dans le Livre.

– On va avoir d'autres frères et sœurs ? dit Fouzia.

Le regard fixe, Noria triturait son cahier.

– Qui sait ? dit Amina.

– On n'aura rien du tout ! Elle va finir par polluer
vos esprits ! s'écria de nouveau Yasmina.

Puis à moi :

– Tu pourrais lui dire de fermer son clapet au lieu de sourire comme ça.

Noria abandonna son cahier, se leva et serra les poings. Et, telle une militante manifestant en faveur de la sauvegarde des ménages, esquivant les mots qui ne tenaient pas sur sa langue, elle scanda :

– Maman pas morte ! Papa derrière la porte ! Maman reviendra ! Avec papa, elle gambadera !

Quand elle eut terminé de s'égosiller, Noria rangea ses affaires et annonça qu'elle se coucherait sans dîner. Fouzia l'imita. Ainsi mirent-elles un terme à la discorde des jumelles.

– Ce n'est pas la peine de le prendre comme ça, dit Amina en les rattrapant dans le couloir. Je voulais juste dire que maman n'a pas eu besoin d'attendre une autre vie pour être dédommagée...

Ce soir-là, l'absence de ma mère nous pesa réellement, et, pendant longtemps, nous cessâmes d'évoquer jusqu'à son nom.

16.

À la fin du mois, des employés de mon père vinrent s'enquérir de la santé de leur patron, de leur avenir et de leur salaire. Nous les reçûmes sur le pas de la porte. Ne sachant que dire, nous leur demandâmes de repasser. Ce qu'ils firent dès le lendemain.

Aucune de nous cependant n'osa déranger notre père dans ses élucubrations. Ma mère n'étant toujours pas de retour, retour que nous n'espérions plus du reste, nous craignions de faire sortir le lion de sa cage et de mettre ainsi fin à la sérénité de notre nouvelle vie.

– Une lettre ! s'écria Amina. Leur répondre par une lettre. Faire semblant qu'elle vient de papa.

Analphabète dans les deux langues, comme lui-même le disait, mon père avait coutume de solliciter nos services pour rédiger un mot de protestation aux impôts ou à la société des eaux, qu'il soumettait à ma mère – celle-ci avait eu droit à quelques années de scolarité – avant de le signer de son nom en lettres majuscules et distordues qui le gonflaient de fierté. Car, disait-il avec fermeté, il aurait été un illustre chirurgien, ou un astronaute sillonnant les cieux, si on lui avait donné la chance d'aller à l'école.

– C'est de l'argent qu'ils veulent, pas des mots, répliqua Yasmina.

– Dans la lettre, il leur cédera tout !

– Tu débloques !

– Il leur cédera tout. Provisoirement, en attendant le retour d'Omar, précisa Amina. D'ailleurs, nous n'avons pas le choix. C'est ça ou le réveil de papa.

Nous rédigeâmes donc une lettre où mon père déclarait prendre la retraite qu'il aurait dû prendre des années plus tôt. (Nous ne connaissions pas son âge, ses papiers d'état civil indiquaient : « Présumé en... », mais il frôlait bien la soixantaine.)

Pour l'instant, et peut-être définitivement, disait la missive, il déléguait son cher et dévoué personnel pour la gestion de ses chalutiers : la vente de la marchandise, l'entretien du matériel, le partage des bénéfices entre les employés... Ainsi nous restructurâmes l'entreprise d'Aziz le pêcheur en coopérative autogérée et souhaitâmes bon vent et beaucoup de succès au comité de gestion. Seule requête : si la pêche était bonne – ce plus pour ajouter à la crédibilité de la donation que par goût, nos préférences allant à la viande rouge, rarissime chez nous – donc, si la pêche était bonne, un cageot de rougets ou de crevettes royales serait apprécié de la famille.

Yasmina imita à la perfection la signature du légateur sur laquelle elle apposa délicatement le tampon marqué du sceau de l'entreprise.

Les employés, lorsque nous leur remîmes la lettre, nous regardèrent avec scepticisme. Mais guère long-

temps. Une fois la donation en main, ils se souvin-
rent des malheurs de leur patron qui continuaient
d'alimenter – nous le savions fort bien, mais à présent ça nous laissait de glace – les cafés du quartier
et du port. Aziz le pêcheur connaissait enfin l'humilité, Aziz le pêcheur se lavait de l'opprobre... La
miséricorde d'Allah était décidément sans limites, ils
allaient faire bon usage de ce don du ciel. Merci.
Mille mercis. Jamais ils ne l'oublieraient.

Nous ne revîmes ni les employés de mon père. Ni
les cageots de poisson. Mais nous avions la paix.
C'était comme si la terre ne tremblait plus.

Je multipliai les annonces dans le journal et le
nombre de mes clientes doublait chaque jour. Je les
recevais à l'heure où mon père cuvait soigneusement
son vin, leur offrais du thé et des gâteaux secs bou-
langés par les jumelles qui progressaient derrière les
fourneaux.

Dans la clarté du salon, parfumée de patchouli,
habillée de rouge, les cheveux détachés sur mes
épaules, je devisais, discutant les délais, proposant
des modèles, conseillant fil et tissu, débattant des
tarifs... Et l'argent commençait à rentrer. Notre réfrigérateur ne désemplissait plus : de la viande, du fro-
mage, du Coca-Cola et des kiwis achetés au prix fort.
Grâce aux couches et au lait d'importation – chère-
ment payés aussi –, Zanouba et Mahmoud ne souffraient plus de rougeurs aux fesses ni de diarrhée.
Les jumelles se passionnaient de plus en plus pour
la cuisine, au détriment de leur carrière de peintre,
et mijotaient des plats que nous achevions en suçant

nos doigts. Nous engraissions à vue d'œil. Même
notre père ne boudait plus l'assiette que nous posions
devant sa porte. Fouzia et Noria allaient aux commis-
sions comme on va au bal. Au fond des couffins, il
y avait toujours un flacon de patchouli, un foulard
ou un sous-vêtement dans les couleurs préférées de
ma mère, qu'elles dissimulaient ensuite amoureuse-
ment dans leur commode. Parfois, avant de se coucher, elles vérifiaient si les cadeaux pour leur mère
étaient toujours là.

17.

Un jour, Noria et Fouzia rentrèrent tôt de l'école. Noria zozota d'incompréhensibles mots, puis s'interrompit pour aller chercher du miel.

— Scha m'aidera à eschpliquer, dit-elle en ouvrant le pot.

Elle était aussi blanche que sa blouse d'écolière.

Mais le miel ne l'aida point.

— Schéishmes... Schecousches...

Ce fut tout.

Épouvantée par la malédiction qui pesait sur sa voix, Fouzia prit malgré tout la relève. Elle se lança alors dans le récit de la secousse qui avait soufflé la maternelle jouxtant leur école.

— Il y avait des bras, des jambes partout, partout, poursuivit-elle, les joues tantôt rouges, tantôt blêmes. J'ai même vu des doigts collés à un morceau de mur tombé de la façade. Je les ai ramassés et donnés au directeur qui cherchait les siens comme un fou. Il a attrapé les doigts, les a comptés, il en manquait un, le pouce, je crois, mais il a dit que ça ne faisait rien. Il les caressait en chialant. Il attendait l'ambulance en tremblant, puis, comme ça, du bout des lèvres, il les a embrassés, et il n'arrêtait pas de dire que j'étais une bonne fille. Quand les larmes n'ont plus troublé sa vue, il n'a plus rien dit et tout d'un coup les veines de son cou ont grossi et bleui, ses yeux sortaient de son visage. Et il m'a jeté les doigts à la figure en hurlant qu'il n'avait pas besoin des doigts d'une femme. Alors je les ai regardés de plus près, les ongles étaient peints de vernis rouge, très rouge. Je me demande comment je n'ai pas vu tout ce rouge...

— Assez ! éructa Yasmina.

— Et la suite ? Tu ne veux pas la suite ? Personne ne veut la suite ?

— Continue, dit Amina, empoignant avec force la main de sa jumelle.

— Non ! Non et non ! hurla de nouveau Yasmina, se dégageant de l'emprise d'Amina.

— Te mets pas dans cet état, dit Fouzia. C'est Dieu qui l'a voulu. Ma maîtresse, quand elle a retrouvé sa petite fille, a dit... Ma maîtresse, soit dit en passant, avait une fille de quatre ans dans cette maternelle. Ma maîtresse a donc dit qu'on n'allait tout de même pas en vouloir à Dieu et elle ne pleurait même pas. C'est la vie, c'est la vie qu'elle répétait à tout le monde, mais personne ne l'écoutait vraiment parce que tout le monde avait quelque chose à dire ou à répéter.

Noria lâcha un hoquet, réprima un renvoi, roula des yeux en guise d'excuse.

— C'est vrai, non ? reprit Fouzia en regardant Noria.

Celle-ci opina en roulant de nouveau des yeux.

Tout à coup, Yasmina se mit à parler comme notre père, d'une voix forte et caverneuse :

– Parce qu'Il nous a exclus du paradis, on ne peut pas vraiment Lui en vouloir. C'est à Adam et à Ève qu'il va falloir demander des comptes. Plus à Ève qu'à Adam, d'ailleurs. Mais quand Il fait de nous des mères sans qu'on ait rien demandé, quand Il fait disparaître maman et Omar le même jour, quand Il fait trembler la terre et exploser les maternelles, quand Il reprend leur raison aux adultes et même aux enfants, quand Il n'aide pas un homme à retrouver ses doigts, on ne peut que Lui en vouloir !

Amina leva un sourcil inquiet.

– Tu vas bien ? lui demanda-t-elle à mi-voix.

– Oui, je sais, dit Yasmina, une accalmie dans la voix. Je sais bien que ce n'est pas le moment de blasphémer.

– Non, ce n'est pas le moment, répliqua Amina. D'ailleurs pourquoi en vouloir à cette femme sortie de la côte de son homme ?

– Èffe était une côtelette ? dit Noria.

– Assez, marmonna Fouzia en courant aux toilettes où elle vomit à grand bruit.

– C'est Fouzia qui ne va pas bien, dit Yasmina.

Alors, chacune à son tour, chacune à son rythme, nous nous précipitâmes sur la cuvette rendre le repas de midi.

18.

La vie reprenait gouleyante lorsque notre père quitta son antre, sobre et dans son état d'antan. Enfin, presque. La réserve de vin s'était épuisée sans que nous nous en rendîmes compte. L'eussions-nous remarqué, aucune de nous n'eût accepté d'aller en acheter, nous n'aurions d'ailleurs pas su le faire : mon père commandait son vin par barriques entières. Et quel était le marchand de vin téméraire qui aurait servi une femme ? Même à la capitale, ça ne se pratiquait plus.

J'avais passé une grande partie de la nuit sur un ouvrage, une ceinture de saroual, une broderie de fil d'or finement piquée ; mes yeux me brûlaient et la douleur qui, depuis des jours déjà raidissait mon dos, lancinait. Chaque pas, chaque mouvement crispait mon corps comme sous l'effet d'une électrocution. Ce matin-là, j'aurais donc dû garder le lit.

Une odeur de café avait agréablement excité mes papilles : les jumelles en auraient-elles préparé, elles qui, depuis l'apparition chez nous du libre choix, ne se faisaient que du thé ?

Lorsque j'entrai dans la cuisine, il se tenait debout, les fesses au bord de l'évier ; il buvait du café. Entre deux gorgées, il fixait tour à tour le fond de sa tasse et les victuailles amoncelées sur la table. Il n'en croyait ni ses yeux ni ses narines. S'apercevant de ma présence, et sans me regarder, il dit :

– Bravo.

Puis il passa lentement le doigt sur le bord de la tasse. Comme s'il méditait sur une catastrophe sans précédent. Je n'eus alors qu'une envie : rebrousser chemin, regagner la chambre, m'y enfermer à double tour. Mais du plomb coulait dans mes jambes, se déposait dans mes pieds.

– Bravo, reprit-il. D'abord vous faites disparaître votre mère, puis vous vous attelez à ma ruine.

– Je... C'est la broderie...

Inutile. Même s'il avait eu toute sa tête, mon père ne m'aurait jamais crue.

– Veuf et ruiné avant l'heure. Bravo. Mille bravos, répétait-il en lorgnant le gigot.

Tandis qu'il multipliait jérémiades et ovations, je repensai au faux, cette lettre où on lui faisait céder son entreprise au personnel. Dans un tressaillement, je murmurai :

– Merci.

Mais il m'entendit.

– Elle bafoue ma dignité et elle me répond, grogna-t-il.

Il se rua sur moi. Puis il me saisit par les cheveux. Puis il les tira. De toutes ses forces. D'abord vers le haut. Puis vers le bas. Jusqu'à ce que mes genoux plient.

– Elle me défie ! Ce bigot d'imam me défie ! Allouchi me défie ! Mon fils me trahit. On me mange dans la main et on me défie, on me mange dans la main et on me trahit, disait-il, détachant les mots, appuyant sur chaque syllabe.

Tout d'un coup, il lâcha prise. Je perdis l'équilibre et tombai. Mon visage heurta le carrelage froid. Je n'aimais pas le lait, n'en buvais jamais, alors mes incisives se brisèrent comme du verre. Je n'en avais cure, l'important pour l'heure était de sauver ma peau.

Tandis qu'il se débarrassait méticuleusement de la touffe de cheveux restée dans ses doigts, poussant des ah ! et des oh ! de jouissance, je rampai sous la table, me frayant une issue de secours entre les chaises. Mais il me rattrapa, s'empara de nouveau de ma chevelure, se mit à me traîner dans toute la maison.

– Pourquoi ? Mais qu'ai-je fait ? Qu'ai-je donc fait ?

Mes cris réveillèrent mes sœurs. Les jumelles appelèrent à l'aide, s'époumonèrent, ameutèrent le quartier. En vain. Au-dehors, les hommes pressaient le pas en ricanant ; les femmes ouvraient leurs persiennes, conjuraient le sort en crachant dans leur corsage, les plus sensibles versaient une larme.

– Pauvres créatures, pauvres orphelines.

– C'est ainsi qu'il faut purifier sa maison.

– Telle mère, telles filles.

– Ça ne leur fera que du bien, à ces femelles.

– Qu'Il nous protège du Malin.

Et cetera. Et cetera.

Noria et Fouzia se précipitèrent dans la rue, implorèrent les voisins de prévenir la police, les pompiers, ou l'hôpital. Les hommes continuaient de presser le pas. Mais ils ricanaient moins.

– La police et les pompiers ont mieux à faire.

– Les séismes sont de plus en plus violents.

– Plus de place dans les morgues.

Bref, personne ne broncha.

Pendant ce temps, de nouveau agrippé à mes cheveux de toutes ses forces, mon père jubilait en me baladant à travers sa cossue et solide maison. Et tandis que mon corps, ma tête, toute ma carcasse cognaient les murs. Tandis que le sang dégoulinait le long de mon visage, souillait le sol. Tandis que mes sœurs hurlaient, comme les louves hurlent à la mort. Tandis que les nourrissons s'évanouissaient de sanglots. Tandis que mon auteur m'accusait tantôt de mère infanticide, tantôt d'enfant matricide. Tandis que les mots fuyaient de sa bouche, parvenaient à mes neurones dans une course éperdue. Tandis que ces mêmes mots prenaient forme, bousculaient mes rétines. Tandis que la douleur m'anesthésiait, que mes pieds se glaçaient d'une froideur sibérienne. Tandis que l'agonie me courtisait et me séduisait, les souvenirs celés dans le tréfonds de ma conscience se libérèrent, puis défilèrent à une vitesse vertigineuse, éloignant la folle agonie. Et, avec la même vitesse, je sus pourquoi j'étais une fugueuse, une sournoise, une menteuse, une simulatrice. Je sus pourquoi ma mère n'avait jamais donné le sein à sa petite dernière, pourquoi elle l'avait oubliée. Je sus pourquoi la colère des anges n'avait pas grondé et avait épargné à Zanouba le trou d'évacuation de la buanderie, Zanouba ou Manouba née costaud comme un ours et pourtant bien avant terme.

Troisième partie

19.

Elle a été scalpée. Au sens littéral du terme... Ah, mon Dieu ! quelle horreur !... Comment peut-on de la sorte aller vers les agressions ? les provoquer ? Faut pas sortir comme ça, enfin. Une femme n'est jamais à l'abri. Et puis ça n'est pas fait pour traîner dans les rues... Son père ? Pour un gigot ? C'est vrai que la viande est chère mais tout de même, quel sort ! Toi qui vois tout, qui entends tout, protège nos enfants ! Pauvre petite. Voilà à peine une année, elle était dans ce même service. Cette fois-là, la peau du corps arrachée, l'hymen déchiqueté... Comment peut-on briser la vie d'une enfant ?... Faut dire que c'est une miraculée, ou qu'elle tient absolument à la vie. Certaines se suicident pour moins que ça...

Un coma ? Qui peut le savoir ? Un traumatisme crânien ? Cliniquement morte ? Peut-être seulement une sorte de syncope. Ça peut être long. Attendre la réparation du scanner et la ramener ici. Enfin, si d'ici là elle est encore de ce monde. Des points de suture et un pansement. Tout ce qu'on peut faire. Hélas ! pas de lit disponible. Même pas un oreiller. Beaucoup de patients, ces temps-ci, membranes déchirées,

peaux criblées, cous à recoudre, mains à ressouder...
Enfin, on n'a pas vraiment à se plaindre ; ailleurs,
ils n'ont plus de répit. Nuit et jour. Eh oui, la magni-
tude des séismes... Zafiroun Fateh lui-même est
dépassé, même qu'il en a trépassé.

Après la couture, la ramener à la maison. Puis
attendre. Faire boire de l'eau sucrée. Aussi efficace
que le sérum glucosé. Rincer la bouche avec de l'eau
salée ; ça cicatrise bien les gencives, mieux que le
sidi-saint-fol... Eh oui, mes petites, il faudra s'y faire,
au système D. Si dans une semaine pas réveillée...
l'oublier. D'ailleurs, vu son état, il vaut mieux pour
elle. M'oublier ? Il ne faut pas y songer. Ne suis-je
pas le pilier de la famille ? Ne suis-je pas à l'image
du poisson et du taureau qui supportent la terre ?
Mon éviction serait fatale.

L'écroulement.

Dans une lumière incandescente, je reconnus les
couleurs claires de ma chambre, les tentures fleuries,
le papier peint aux larges tulipes, et les quatre paires
d'yeux qui me braquaient, les quatre bouches qui
poussaient d'indicibles soupirs.

– Il t'a bien démantibulée, dit Amina en esquis-
sant un sourire.

– J'aimerais voir ce que cache le bandage, souffla
Fouzia.

– Tu nous as fait un sacré dodo et une horrible
peur, ajouta Yasmina.

– Des jours dans les choux, dit Fouzia.

– Des chours schans le schou...

– En tout cas, tu nous as manqué.

Ni le sang, ni les cris, ni mon silence soudain n'avaient effrayé notre père. Mais lorsqu'il s'aperçut que le cuir chevelu ne tenait plus qu'à un cheveu, comme Amina disait, il avait arrêté.

– Il te croyait morte, poursuivit Yasmina.

– À mon avis, il n'avait plus sur quoi tirer, dit Amina en me donnant une première cuiller de bouillon.

– Peut-être allait-il continuer schon dévoulement schur nous ? frissonna Noria, l'iris rétréci, les cils frôlant ses sourcils.

Yasmina tenta une digression.

– Depuis quelque temps, elle éprouve un sacré plaisir à se faire peur, dit-elle. Elle a des cauchemars. Elle ne nous laisse plus dormir avec ses cris. Elle ne veut plus s'attacher à son lit. Résultat, on passe nos nuits à la rattraper dans le jardin ou au coin de la rue...

Vaine tentative.

– Il t'a laissée tranquille parce que le téléphone avait sonné, reprit Amina.

– Le téléphone, c'était après, dit Fouzia.

Puis elle se mit à raconter.

– Vous avez déniché la nouvelle adresse d'Allouchi ? disait notre père à son interlocuteur, les mains encore couvertes de mon sang. Grand bien vous fasse... Ça tombe mal, car moi aussi, j'ai besoin d'argent... Je viens d'être ruiné... Comme je vous le dis : ruiné ; tout mon argent est allé dans la panse de mes filles, qui, comme vous devez le savoir, ne sont pas mes filles... Mais ma femme est morte, monsieur... Non, la langue ne m'a pas fourché. La langue ne me fourche jamais... Je suis Aziz le pêcheur, ne l'oubliez jamais... Savez-vous seulement qu'une femme maltraitée par son mari trouve le bonheur dans l'au-delà ? Oui, monsieur, et, sachez-le, ma femme a été malheureuse avec son mari... Ce traître de Youssef Allouchi, ce fils de gaouria*, peut-être même d'une yéhoudia**, m'avait pourtant promis de bien s'en occuper... Oui, oui. Ta femme à ton voisin, tu n'offriras point. Je sais tout cela. Quoi qu'il en soit, à l'heure qu'il est, au moment même où vous êtes en train d'essayer de me spolier, certainement êtes-vous le complice de la progéniture de mon voisin, je n'ai hélas pas les moyens de le vérifier, ma femme est en train de choyer ses nouveaux enfants...

Là-dessus, on frappa à la porte, des coups violents. Pendant que mes sœurs retenaient leur souffle, priaient, espérant un miracle, mon père raccrocha et descendit ouvrir. D'en bas montèrent des voix indistinctes. Elles étaient nombreuses, pressées, nerveuses. Puis, poursuivit Fouzia avide de mots, la voix de notre père s'éleva :

– Transporter quoi ? qui ? Mes bateaux sont faits pour la pêche et non pour ce que vous dites. C'est un complot ! C'est une machination ! Allouchi et ses filles veulent avoir raison de moi ! Demandez donc aux voisins de vous raconter les turpitudes dont je

---

* Chrétienne.
** Juive.

suis la proie ! Je n'en dors plus ! Je n'en mange plus ! Je suis vidé comme une outre.

D'autres murmures, presque audibles, mais Fouzia n'avait rien retenu. Et de nouveau la voix de notre père, de plus en plus haute :

– Mais c'est le traître qui habitait en face qu'il faut emmener. C'est lui qui sait lire et écrire, qui rédige des textes, comment dites-vous déjà ? suservifs ? subversifs, bien sûr. Je ne sais même pas ce que ça veut dire, l'arabe littéraire et moi, vous savez.... Mais je peux vous assurer que je n'en fais pas, du susertif. Allez voir du côté de mon voisin. Même qu'il épouse nos femmes selon la loi du mariage temporel et, si l'une d'elles lui tape à l'œil, enfin, je veux dire lui plaît, il ne se gêne pas pour soudoyer les imams, et même les fils, ceci pour la mettre sur un livret de famille. Il se prend pour l'émir Saoud, ma parole ! Il se jette sur nos femmes à la six-quatre-deux, à cause de son impuissance sexuelle, précisément. Quand il veut faire oublier sa tare, mon voisin sort son fusil, soi-disant pour le baroud d'honneur, dada dada... En fait il tire des coups pour démentir ce qu'on dit de lui, ce qu'on sait de lui. Mais ces pauvres femmes ne tiennent pas et rendent l'âme. Moi, mes bons amis, je ne suis qu'un armateur, le plus célèbre du port, certes, mais seulement un armateur et des plus généreux. Pas autre chose, en tout cas pas un armurier. D'ailleurs, les armes, je n'aime pas ça. Alors prétendre que mes bateaux sont des caches... Quelqu'un justement vient de me téléphoner qui sait où se terre le vrai coupable. Oui, mes bons messieurs, contrairement à moi, Youssef

Allouchi se cache. Contrairement à moi, il n'a pas
la conscience en paix ! Moi je n'ai jamais abandonné
mes enfants dans la maison d'un autre ! Je ne me
suis jamais servi de mes bâtardes pour voler mes
voisins ! Questionnez-les, ils vous le diront. Il n'y a
rien qui leur échappe... Par ici, il n'existe pas de
secret inviolable... Ah ! non, il ne m'a pas donné
l'adresse d'Allouchi, ni la sienne, d'ailleurs. Maintenant que j'y pense, il n'a même pas laissé son nom.
Il voulait de l'argent. Une somme faramineuse dont
je ne dispose pas. Une sorte de rançon pour me
rendre ma femme, que Dieu ait son âme. Mais les
filles de mon voisin ont tout dépensé. En fait, elles
m'ont volé. Ce sont elles qu'il faut emmener. Pas
moi. Elles et leur père. Ce sont eux qu'il faut jeter
dans vos geôles... Et puis même si je la savais, cette
adresse, je ne vous la dirais pas... On ne fait pas dans
la délation, chez les Zeitoun. Jamais un transfuge, ni
un collabo n'a porté notre nom. Ah ! ça non alors !...

Puis la voix tonnante et cassée :

– Pas moi ! Pas moi ! Moi je suis un honnête
citoyen ! Ni un délateur, ni un comploteur ! J'aime
et j'apprécie le vin rouge, le plus illicite d'entre
tous ! Mes barriques me viennent des monastères,
c'est vous dire ! Je ne vais jamais à la mosquée !
Fouillez ma maison ! Perquisitionnez ! Prenez tout
votre temps, je vous en donne l'autorisation. De
gaieté de cœur, vraiment. Vous verrez que je ne pos-
sède pas un seul tapis de prières, ni le moindre chapelet. Je ne sais même pas m'orienter vers la Kaaba,
nom de Dieu !

Son brouhaha couvrit les bruits de la rue, puis les

portières d'une voiture claquèrent et la voix de notre père s'éteignit.

– Et voilà, on ne sait même pas où il est, dit Amina.

– C'est à cause de cette connerie de lettre, dit Yasmina.

– Le mal est fait, maintenant. On ne va pas recommencer à culpabiliser, répliqua Amina.

– En tout cas, papa est devenu fou. Vraiment fou. Dans le quartier, les gens ne parlent plus que de ça, dit Fouzia.

– Ils digent qu'il a été enschorchelé par maman, qu'elle lui a fait mancher de la scherfelle d'âne. Sché inschupportable, enchaîna Noria.

– Partout on raconte l'histoire de la femme qui a osé répudier son mari, reprit Fouzia.

– Sché l'hischtoire de maman.

– L'amour, hélas ! sera toujours suspect, souffla Amina.

– Notre famille n'arrête pas de se disloquer, dit Yasmina.

Amina la regarda comme si jamais elle n'avait entendu pareille absurdité.

– Quelle est de nos jours la famille encore intacte ? Ailleurs les tremblements de terre n'ont plus de cesse. Et tous les volcans sont en éruption. Leur lave enlise des villages entiers.

– On dit que maman et Allouchi habitent dans le désert, là où il n'y a ni séismes ni volcans. Juste du pétrole. Même que maman attendrait un bébé, dit Fouzia.

– On dit n'importe quoi, maugréa Yasmina.

– C'est pas sûr, dit Amina. Mon petit doigt...

– Ça suffit, coupa Yasmina.

– Schuffit, dis-je.

Je chuintais.

– Mais tu suintes ! s'écria Noria.

– Des dents de devant il ne reste plus que de tout petits, petits bouts, dit Fouzia en grimaçant.

– Des sicots, grimaça à son tour Noria.

– Je voudrais un miroir, dis-je.

Silence. Hochement de tête. Ongles rongés. Échanges de regards. Agitation générale. Nouvelle tentative de digression. Préambule du pire.

J'insistai.

– S'il vous plaît, soufflai-je, ma langue évitant l'espace vide dans ma gencive.

Amina haussa les épaules et consentit à fournir l'objet.

– Autant te mirer tout de suite, dit-elle.

– Comme scha, on n'en parlera plus.

À cause des points de suture sur mon crâne, commis à la hâte, avec du fil et une aiguille grossiers, mon nez était maintenant retroussé ; mes yeux bridés ; mes sourcils et les commissures de ma bouche relevés. Ainsi, j'avais l'air médusé, comme si je vivais dans un perpétuel étonnement traversé par un imperceptible ricanement.

– Il faut chaque fois que tu perdes quelque chose, lâcha Amina.

Yasmina la fustigea du regard, puis soupira. J'observais mes sœurs en souriant ; leurs propos à présent ne m'étaient plus sibyllins. Sans mot dire, j'entrepris d'ôter le bandage qui sanglait ma tête. Au fur et à mesure que le linge se déroulait, mes sœurs se mordillaient la lèvre ou l'intérieur de la joue, la narine frémissante d'appréhension.

Ma tête nue fit l'effet prévisible ; d'une même voix, elles poussèrent des ah ! et des oh ! de dégoût. Deux raies boursouflées, en zigzag, purulentes, et visiblement indélébiles complétaient le hideux tableau.

— D'abord la mémoire puis la figure, dis-je.

— Tu peux le dire, murmura Amina, horrifiée, troublée.

Mais aussitôt, et comme si elle se réveillait, elle reprit :

— Si tu sais pour la mémoire, c'est donc que tu te souviens.

— Oui, fis-je.

Avec des gestes vifs, Yasmina se mit à badigeonner ma tête de teinture d'iode.

— Ah ! oui, dit-elle, incrédule.

— En réalité, je n'avais pas vraiment oublié.

— Ni moi, dit Noria.

— Ni moi non plus, enchaîna Fouzia. Mais comme je n'avais pas le droit à la parole, je ne pouvais rien te dire. Tu m'en excuseras, ma sœur ?

— À cauge de comment che parle, tu n'aurais pas compris grand geoge. Tu me pardonneras, à moi auschi ?

— Bien schûr, dis-je.

Dans un même mouvement, nos regards se posèrent sur Zanouba qui sillonnait la pièce à quatre pattes, babillant, appelant les jumelles maman. Puis nous sourîmes lorsque Mahmoud poussa des cris de protestation, jaloux de l'agilité de sa cousine.

20.

Quelques jours plus tard, alors que Noria et Fouzia vaquaient sur les marchés, Yasmina me dit :

– Tu te souviens de tout ?

– Oui... À quelques détails près. Peut-être.

– Papa a donc cogné au bon endroit, dit Amina. Puis :

– Tu les veux dans l'ordre ou dans le désordre, les détails ?

– Tu voudrais vraiment qu'on en parle ? demanda Yasmina avec cette délicatesse qui la caractérisait.

– Oui.

– Papa a réparé ce que les autres et lui-même avaient déglingué, dit Amina.

– C'était tout de même osé d'affirmer que tu étais morte, sourit Yasmina. Comme ça, sans ciller. Il n'empêche que tu as été à deux doigts de le convaincre.

– Il t'aurait préférée morte plutôt que souillée. Alors il t'a battue. Il faut dire que, cette fois-là, il n'a pas eu le temps de te défigurer comme pour le gigot d'agneau. Il avait perdu connaissance avant. Et maman était là.

– Tu es sûre de vouloir en parler ? demanda encore Yasmina.

– Oui !

– Bon, dit-elle.

Mais elle ne pipa mot.

C'est Amina qui enchaîna :

– Quand tu as commencé à grossir, maman t'a serrée dans une gaine et elle s'est mise à porter un coussin sous sa robe. Puis elle n'a plus dormi que dans ta chambre, prétextant qu'elle ne supportait pas sa grossesse... Tu te souviens de ça ?

– Vaguement, soufflai-je.

– Je n'aurais jamais cru ça de maman, murmura Yasmina.

Elle se mit à lisser son sourcil avec lenteur, comme si elle essayait de refouler un mauvais souvenir. Ou un remords. Elle dit :

– Elle nous aimait mais elle ne savait pas le montrer. C'est normal quand on n'a pas eu de mère.

– Bravo pour ce raisonnement, dit Amina. Et si on le suit, ça nous conduit à penser que nous non plus nous ne saurons pas manifester notre amour à nos enfants puisque maman ne nous y aura pas initiées.

Elle se tut et reprit aussitôt :

– Tu as raison, l'amour, ça s'apprend. En tout cas, il exige de l'entraînement. Ces histoires d'instinct maternel, c'est juste valable pour les animaux.

Puis, brusquement et me regardant :

– Ton exemple est on ne peut plus éloquent.

Je ne pus empêcher un raclement de gorge.

– Je suis désolée, dit Yasmina écartant les bras en signe d'impuissance.

– Il n'y a pas de quoi, dis-je. Ça me fait absolument rien.

Nous entendîmes les mouches voler et Zanouba gazouiller dans son coin. Yasmina rompit le silence et ne laissait plus sa jumelle placer un mot.

– En réalité maman avait peur de se faire répudier. Elle n'en mangeait plus. Papa a mis son attitude et ses malaises sur le compte d'un caprice de femme enceinte... Après toutes ses fausses couches, il espérait un deuxième fils. Le saint de son village le lui aurait annoncé dans un rêve. Tu connais la chanson... En tout cas, elle aura brillé dans son numéro. En fait, elle désobéissait à papa qui voulait que tu te fasses avorter. Il ne croyait pas à une agression mais, pour sauver la face, il disait que le mufti de Bosnie avait bien autorisé l'avortement aux femmes qui... enfin... tu sais...

« Il a tout organisé, poursuivit-elle. Le médecin, les certificats d'inaptitude, comme quoi tu étais cardiaque. Mais Omar était contre, fermement contre. Il voulait que tu ailles vivre au bled... avec le bébé. Alors maman a parlé d'une soi-disant chute dans l'escalier, puis elle t'a enfermée dans la buanderie. Papa et Omar ont gobé cette histoire. Mais Omar a pensé que tu l'avais fait exprès, la chute dans l'escalier. Il t'en voudra toujours même s'il s'est acharné à retrouver les coupables. Comment peut-on reconnaître des êtres surgis du tréfonds de la terre ? Comment distinguer des intraterrestres... Tu les reconnaîtrais, toi ?

Ce fut au tour d'Amina d'interrompre sa sœur.

– Assez, dit-elle.

– Plus tard, reprit Yasmina, indémontable, Zanouba naissait aussi costaud qu'un...

– Assez, dis-je à mon tour.

21.

La chaleur plombait l'air, le dilatait, jaunissait le ciel, refoulant ainsi les salutaires averses, attirant les simouns, tarissant les salives, engourdissant les gestes et les esprits, mettant en branle les pleurs exténués des nourrissons.

L'été pourtant tirait à sa fin.

Ma tête ruisselait sous le bandage et, lorsque la sueur séchait, je souffrais d'insoutenables démangeaisons. Je retirai alors le bandage et ne le remis plus. Dès lors, mes clientes ne me regardèrent plus qu'à la dérobée. Touchant du bois *in petto* – effleurant discrètement la table en vieux chêne sur laquelle trônaient les petits fours, le thé de Ceylan et des cigarettes américaines pour les fumeuses –, elles dissimulaient avec difficulté leur répugnance. Le front suintant de gêne, elles forçaient alors sur une feinte compassion. Il arrivait aussi qu'elles luttassent contre une violente et irrépressible envie de rire. Ces moments-là, je les attendais, les espérais.

Afin de mettre à leur aise mes précieuses clientes, j'improvisais une anecdote, et l'histoire la moins drôle devenait prétexte au rire, l'histoire la plus ano-

dine, la plus dénuée d'humour devenait l'échappa-
toire qui les libérait, me libérait.

Passons.

Zanouba et Mahmoud ne s'habituaient pas non
plus à mon nouveau visage. À mon approche, ils se
pétrifiaient puis poussaient des cris stridents, aigus ;
mes sœurs me surnommèrent « Les Contes de la
crypte », leur série télévisée préférée. Se voulant ras-
surantes, elles débattaient des miracles de la chirurgie esthétique et des implants, sélectionnaient et
notaient des noms, des adresses, multipliaient les lettres à destination des hôpitaux, des œuvres humani-
taires, des organisations non gouvernementales, des
élus et de diverses huiles de l'autre côté de la Grande
Bleue... Et elles guettaient le facteur.

– Ils répondront et consentiront à te prendre en
charge, disaient-elles. Ton voyage sera organisé en
un clin d'œil, visa et tout. Ta tête confiée aux mains
des professeurs X. ou Y., ou les deux à la fois, sera
ravalée en deux temps trois mouvements, poursui-
vaient-elles.

Devant mon air dubitatif, sinon indifférent, elles
parlaient de tâche aisée, de jeu d'enfant, puisqu'il
n'y aurait rien à toucher côté figure. N'est-ce pas,
Yasmina ? Il suffirait de défaire la couture du cuir
chevelu, puis de la refaire avec habileté et surtout
avec le matériel approprié. N'est-ce pas, Amina ?

– Dernier cri ! glapissaient-elles d'une même
voix.

N'avaient-ils pas le cœur sur la main et la justice

dans le sang, les descendants de Lalla Mariam, les héritiers du Massih* ?

Pour mettre fin à l'euphorie de mes cadettes devenues ma progéniture – j'ignorais comment et pourquoi, par quel procédé –, j'acquiesçais, sachant irréalisables et utopiques leurs projets.

Je porterais une perruque ou, à défaut, me voilerais. Il me serait bien égal de porter le voile, à présent. Qu'avais-je à cacher sinon la disgrâce ? Je me couvrirais entièrement le visage, adopterais, tant qu'à faire, la cagoule des Afghanes, verrais le monde à travers des trous et le monde ne me verrait pas. Qu'était-ce que se voiler comparé aux séismes, violents et sournois, qui secouaient la terre, l'écartelaient, prenant au dépourvu ceux qui passaient par là, les engloutissant sans sommation ? Qu'avais-je à m'embarrasser des regards offusqués lorsque les volcans rugissaient, rougissaient, vomissaient, répandant leur lave, ensevelissant ceux qui vivaient alentour, happant leur vie sans aucune autre forme de remords ?

Réflexion faite je ne me voilerais pas. Ainsi j'afficherais au grand jour mes traits artificiellement tirés vers le haut, mon perpétuel étonnement, mon ricanement forcé et édenté, mes grossières raies. Ça servirait aux autres – à qui au juste ? –, ou ça ne servirait pas. Qu'importe. Je penserais à ça plus tard. Pour l'heure, la transformation de ma physionomie, si repoussante fût-elle, ne me chagrinait guère. De

---

* Le Christ.

toute façon, je ne sortais pas, je n'en avais pas le temps, n'en éprouvais ni le besoin ni l'envie. Comme ceux d'une mère, mes jours couleraient désormais entre quatre murs. D'ailleurs je ne cessais d'y prendre goût.

Les maux de tête ne me laissaient plus de répit ; la fièvre me surprenait à n'importe quel moment de la journée ou de la nuit ; mon sommeil se peuplait de visions d'épouvante ; du tréfonds de mon subconscient, ou d'un endroit encore plus reculé de mon cerveau, sans doute méconnu des spécialistes, surgissaient d'écœurants, de révulsants personnages. Telle cette infirmière au sourire réconfortant et serein, qui pansait mes blessures. Elle chuchotait des mots en arrondissant les lèvres. Des mots que je ne comprenais pas mais par lesquels elle semblait me promettre et me garantir la guérison. Puis, avec une extrême douceur, elle passait ses doigts dans mes cheveux, caressait mes joues. Elle avait toujours le visage familier d'une amie oubliée, parfois celui de Khadija du temps où elle n'était pas encore ma belle-sœur, mais son corps était anormalement grand, longiligne et disproportionné, ses membres en paraissaient désarticulés. Elle m'allongeait alors sur le dos, sans me brusquer, toujours avec le sourire. Puis, tout d'un coup, une expression étrange décomposait ses traits, et son visage se dépouillait de sa chair, se distordait, des touffes de poils, comme des favoris, poussaient sur ses joues... Elle ne ressemblait alors à rien qui pût être l'œuvre du Seigneur.

Lorsque je détournai le regard de cette abominable

transfiguration, elle se mettait à déclamer dans un idiome bizarre. Je reconnaissais peu à peu les versets coraniques récités aux enfants pour les apaiser après un cauchemar. Alors qu'un sentiment de sécurité me gagnait, la femme commençait à débiter l'Ouverture du Livre. D'un trait et à l'envers. Sa cérémonie achevée, elle se jetait sur moi, écrasait ses lèvres sur les miennes, fourrageait dans ma bouche avec sa langue, me serrait étroitement, immobilisant mes membres. C'est alors que je sentais plaquée contre mon bas-ventre la dureté d'un pénis, de la longueur d'une matraque. Mes hurlements ne parvenaient qu'à irriter, si je puis dire, la femme-homme, à redoubler ses âpres gémissements et elle me pénétrait avec une force de géant.

Lorsque je frôlais l'évanouissement, elle se retirait, hirsute, essoufflée, un mauvais rictus accentuant sa hideur. Puis d'autres femmes-hommes, identiques à la première, prenaient la relève. À tour de rôle et *ab irato*.

Je luttais en vain contre le souvenir de ces rêves ; mes esprits en demeuraient brouillés, mon corps vidé. Les nuits commencèrent alors à grignoter mes jours et finirent par les dévorer. Dès que le soleil déclinait, je m'abîmais dans une vive inquiétude, et l'épouvante me tenait dans un état d'extrême fébrilité. Tremblant de tous mes membres, claquant des dents, enroulée dans une couverture, chancelante, je tournais en rond. Que faire, mon Dieu, pour mettre fin à ce froid par moi seule ressenti ? Pour le braver, je prenais des douches glacées, ne me souciant pas

d'aggraver les blessures sur mon crâne qui ne cica-
trisaient pas.

Plus question désormais de dormir, de rencontrer
ces êtres – j'en venais à regretter les goules, les
gnomes, qui, il n'y a pas si longtemps, avaient agité
mes rêves d'enfant ; j'en venais à regretter les trai-
tements de mon père, ses interdits, ses censures, sa
loi qui avait refoulé au fond de moi les horreurs de
ce monde, jusqu'à effacer le souvenir des visages ;
sa loi qui me terrorisait jusqu'à faire flancher ma
mémoire. Ceux qui maintenant traversaient mes nuits
étaient d'une autre trempe. Ils étaient plus sinistres
que le sordide, plus réels que la réalité. Longtemps
je m'étais gardée de raconter à quiconque ces
étranges visites. Et même si j'avais voulu en parler,
les mots m'auraient manqué.

Abolir le sommeil, seule façon de leur échapper.

Je leur échapperais ; j'en fis le serment.

Au début de ces insomnies forcées, Amina insistait pour me tenir compagnie. Luttant contre l'en-
gourdissement de ses paupières, ma sœur me faisait
la lecture, sa préférence allant à un livre épais dont
l'histoire, disait-elle, lui procurait un sentiment de
déjà-vu.

– Ça ne te dit rien ? me demandait-elle.

Amina récidivait ; nous étions pourtant convenues
d'arrêter les spéculations sur les amours – non confir-
mées – de notre mère et de son époux. Je levai sur
ma sœur un regard lourd de reproches, puis le
rabaissai sur mon ouvrage.

– C'est l'histoire que j'aimerais vivre, reprit-elle
en guise de mise au point. Pas toi ?

Devant mon mutisme, elle haussait les sourcils avec une moue de découragement et reprenait les descriptions des cils recourbés d'Ariane, de ses longues jambes, des folles dépenses pour plaire à son Seigneur... Sur la fuite de l'héroïne, la dépression du mari, ma sœur ne pouvait s'empêcher de marquer une pause chargée de sous-entendus. Voilà qu'elle m'interrogeait de nouveau, me scrutait, m'épiait. Espérant me contaminer par sa langueur, elle guettait mes soupirs d'extase. Mais je restais de pierre. Alors elle fermait le livre, le serrait contre sa poitrine, apposait un petit baiser sur mon front et allait se coucher, me conseillant d'en faire autant.

J'ignorais alors que ma sœur était amoureuse. J'étais décidément une bien mauvaise mère.

Plus tard dans la nuit, lorsque l'ouvrage me tombait des mains, je regardais la télévision avec fixité. Jusqu'à la nausée. Et même si le sommeil voulait me prendre, il ne me possédait jamais. Jamais je ne sombrais, les voix du poste m'arrachant aussitôt à la somnolence, ranimant mes esprits.

22.

À cause des courbatures et du manque de sommeil – je ne m'assoupissais qu'aux premières lueurs du matin, rideaux écartés, la lumière battant mes paupières –, je me déplaçais avec peine, titubant comme une vieille femme. Ma vue baissait considérablement et il fallait de plus en plus de temps pour que le brouillard qui voilait mes yeux se dissipe. Mais rien ne m'empêchait de me remettre au travail ; tout m'y poussait. Le peu de force qui me restait, je l'emmagasinais, l'économisais pour le laisser émerger au moment où je me saisissais de mon métier à broder.

Je m'attelais donc à la tâche, jour et nuit, nuit et jour, avec obstination : protéger les miens de l'indigence et de la pitié, faire vivre ceux de ma famille qui, par ma faute – oui, par ma faute : je m'en expliquerai plus tard, si l'occasion se présente – étaient maintenant sans sécurité, livrés à eux-mêmes, et à moi. Heureusement, mes clientes devenaient de plus en plus dépensières, elles s'embourgeoisaient, les fêtes proliféraient, comme autant d'actes de survie, ou de résistance, ou de pérennité. Que sais-je encore ?

Pour me tenir éveillée, je pris l'habitude de parler seule.

Une nuit, alors que je m'égarais dans des palabres sur l'avenir des miens et du monde, je sentis une présence. Une vraie.

Un souffle avait tiédi mon cou puis parcouru mes bras ; un sentiment de bien-être aussitôt m'envahit. Lentement, je me tournai et il me fit face. Je le vis. Ce n'était pas un produit de mon imagination.

Non.

C'était un homme.

En chair et en os.

Grand et fin.

Une barbe blanche comme du coton, fournie, ondulée lui couvrait le torse, tombait en cascade jusqu'à la ceinture ; ses mains étaient lisses, brillantes de douceur ; ses doigts effilés ; ses ongles immaculés. Malgré son âge avancé, aucune tache brune n'apparaissait sur sa peau. Son visage aussi était clair, rayonnant, sans une ride ; ses yeux limpides comme les émeraudes du Brésil, on pouvait s'y mirer.

Il se tenait debout, les bras croisés sur sa barbe, le buste droit, ses épaules témoignaient d'une souplesse inhumaine, ou trop humaine.

Il sourit.

Que dis-je ?

Il irradiait et la pièce s'inondait d'une lumière soyeuse, satinée de reflets pastel, d'une incroyable suavité.

Qui l'envoyait ? Pourquoi était-il ici ?

(Je ne posai pas de questions ; j'avais le sentiment de connaître les réponses.)

De quelle contrée venait-il ?

Il n'était pas des alentours, ni même de la région : son allure, la qualité de ses habits, blancs avec des nuances roses et bleues, bref, tout indiquait qu'il n'était pas de chez nous.

Quelle était sa langue ? En parlait-il plusieurs ? Parlait-il tout simplement ?

Il ne dit rien, du moins au début. Il me salua d'une inclinaison de la tête, une gracieuse révérence. Si j'avais perdu la raison, j'aurais dit qu'il était l'Ange Gabriel, ou un homologue, venu me proposer une carrière de prophétesse. Mais j'avais toute ma tête, et le désert était bien loin.

Il était un sage, ou quelque chose dans ce genre-là, en tout cas, il en avait la grandeur, je le sus immédiatement, et pas un instant je n'eus peur de lui. Chaque soir, il revint. Il arrivait après les coups de minuit. Comment ? Par quelle issue ? Ça ne m'intéressait pas de le savoir (le savais-je ?), le principal étant qu'il fût là, près de moi, que les lumières devinssent de satin et de soie.

Les bras croisés sur le torse, il s'asseyait, léger comme une brise. J'avais toujours une tasse de café ou de thé pour mon visiteur, qu'il ne buvait pas. Pas plus qu'il ne touchait à la collation, que je lui préparais. Soit il n'avait pas faim, soit notre nourriture ne lui convenait pas, soit il ne se nourrissait plus, une sorte de jeûne à perpétuité, comme les mystiques

le pratiquaient. Il m'écoutait, ne semblait être là que
pour ça. Et je ne me privais pas de discourir. Avec
beaucoup d'éloquence. À m'en étourdir. Comme les
gens sans soucis.

De plus en plus, j'éprouvais le besoin de m'épan-
cher, me laissais porter par les mots, j'en oubliais de
manger, parfois j'interrompais mon travail. Je riais
beaucoup aussi. Aux éclats. Tous chicots dehors. Je
ne prenais pas la peine de mettre la main devant la
bouche. Il ne s'en froissait pas, ne semblait même
pas le voir. Il était l'incarnation de l'élégance et des
belles manières. Rien ne le perturbait, rien ne l'éton-
nait. En avait-il vu d'autres ? Certes, oui.

Un soir, où ma verve tarissait, à cause de la fièvre
et parce que j'étais concentrée sur une commande à
livrer d'urgence, il déplia les bras, comme une invite,
leva les sourcils, comme une interrogation. Je
compris alors qu'il voulait savoir les raisons de mon
acharnement.

Il nous fallait de l'argent, lui dis-je, beaucoup
d'argent. Pas seulement pour nous nourrir mais aussi
et surtout pour fortifier les portes et les fenêtres du
rez-de-chaussée, murer l'entrée du garage, trop facile
d'accès : la voiture de notre père et du matériel de
pêche avaient déjà disparu.

Son regard se riva sur mon crâne, fixant mes blessures sanguinolentes, purulentes...

– Les antibiotiques coûtent très cher ; pour l'instant, il nous faut parer au plus urgent, dis-je.

Je fermai la parenthèse, ma santé n'étant pas à
l'ordre du jour. De plus un abcès n'avait jamais tué
personne. Je revins à l'essentiel.

De nos jours blinder des issues exigeait une fortune. Mais il nous fallait absolument ces onéreuses installations, pas seulement contre les vols. Il était maintenant indispensable de se doter de systèmes antisismiques car, expliquai-je, comme se répand la poudre, la nouvelle des jeunes, très jeunes filles seules dans une grande maison allait de bouche en bouche, d'oreille en oreille... La terre en vibrait, ses entrailles s'en échauffaient. Son bouillonnement n'épargnait même plus les sourds. Bref, une histoire d'énergie géothermique guère faste. J'avais vu ça à la télé, précisai-je. Puis il fallait penser aux deux malheureuses bêtes, ce poisson et ce taureau – j'avais lu ça dans le Livre –, qui supportaient notre vieille terre. Si ces vieilles bêtes venaient à s'écrouler, le monde entier en pâtirait.

La fièvre à son comble, je conclus mon récit sur un doute, celui de m'être mal fait comprendre.

Mais je l'entendis qui me soufflait un conseil. (Il devait m'en donner d'autres ; longtemps je n'entreprendrais rien sans son avis.) Je ne pourrais pas dire avec quels mots, ni dans quelle langue ce conseil fut proféré. Mais je saisis qu'il me fallait garder auprès de moi les instruments tranchants de la cuisine, aussi ceux du jardin. Une façon parfois efficace pour contrecarrer les secousses et ces histoires d'échauffement du sol... En attendant la fin des travaux.

Au moment où les lueurs du jour commencèrent à poindre, comme à son habitude, il s'en fut. Je m'assoupis, rompue mais apaisée.

23.

Nous prenions conscience de l'attraction que nous exercions sur la ville à la cadence des coups de téléphone anonymes, et des mises en garde des voisines. Car nos voisines, les veuves, les vieilles ou les infortunées – la plèbe en somme – qui, comme nous, n'étaient pas sous une autorité ou une quelconque tutelle leur dictant leurs faits et gestes, leur interdisant entre autres de côtoyer les filles du pêcheur, les maudites, les dépravées, *et cetera*. Ces voisines donc n'hésitaient plus à frapper chez nous.

Certaines assouvissaient une curiosité.

– Mon nouveau visache, quel dommache ! une fille dans la fleur de l'âche ! déclamait Noria après leur départ.

D'autres soupiraient d'admiration :

– Ces oisillons qui, ma foi, s'en tirent fort bien.

Toutes enfin voulaient fouler religieusement le sol battu par celle qui avait osé transgresser, notre mère, qui maintenant se délectait des plaisirs de l'amour...

Passons.

Nous ouvrîmes notre porte à toutes, sans distinction. D'ailleurs, elles nous étaient bien utiles, nos

curieuses et avides voisines. Moyennant un bain
chaud, pour elles et leurs enfants, des légumes frais
et du chocolat au lait, elles aidaient les jumelles dans
les travaux les plus laborieux : la lessive, le battage
des tapis, le nettoyage des murs à grande eau, comme
notre mère aimait à le faire.

Cependant il nous fallut nous séparer de quelques-
unes de nos visiteuses-baigneuses, qui tentèrent de
tirer les vers du nez à Noria et à Fouzia. Vers dont
nous n'avions du reste aucune idée.

Comment avait procédé notre mère pour retrouver
son amant ? Aux aurores, lorsque notre père voguait
sur les eaux poissonneuses ? De nuit, au moment où
fermentait le rouge breuvage de notre éploré ascen-
dant ? Qui était sa complice ? Sa messagère ? L'aînée, experte en la matière ? (Il n'y a pas de secret
inviolable, *dixit* notre père.) Allouchi lui envoyait-il
des cadeaux ? Se retrouvaient-ils chez lui ou dans un
hôtel de la ville ? Venait-il ici ? Faisaient-ils ça sous
le toit des Zeitoun ? Un vrai coup de maître, cette
trahison de l'orpheline aux yeux de velours coulant
de candeur.

Sans mot dire, dodelinant parfois de la tête, ne
relevant guère les insinuations désobligeantes des
questionneuses, Noria et Fouzia avaient écouté avec
fierté et beaucoup d'intérêt ce qu'elles pensaient être
alors l'apologie de l'amour. Il faut dire qu'Amina
leur lisait sans se lasser des histoires les initiant aux
saveurs des liaisons interdites et des folles passions.

Une femme gâcha tout.

– Une sainte nitouche, oui, cette Nayla ! avait-elle
lâché en claquant la langue. Ah ! la grivoise...

À ces mots, Noria et Fouzia se raidirent, mais aussitôt recouvrèrent leur agilité verbale. Je les surpris noyant d'insultes la femme en question, puis toutes les autres, sans ménagement, les traitant de jalouses et de tas de graisse, de veuves et de divorcées, notre procréatrice à nous pouvait se targuer d'avoir deux maris, et peut-être même d'autres soupirants et certainement une liste de prétendants, la nature l'ayant généreusement gratifiée, tandis qu'elles, grosses merguez, énormes osbanes*, avaient été oubliées au moment où Allah enrobait de beauté Ses créatures.

– Les battements des cœurs en émoi, pauvre du vôtre qui ne les connaissez pas, entonna Noria tandis que Fouzia leur indiquait la porte.

– Allez, ouste ! sifflait-elle entre ses dents.

À partir de ce jour, le visage des benjamines se couvrit du voile de la gravité, ou de celui de la maturité. Quoi qu'il en soit, elles raffolaient des lectures de leur sœur.

En face, le jardin de Youssef Allouchi se transformait en dépotoir – les éboueurs ne passant plus, les habitants du quartier prirent l'habitude de déverser là leurs détritus –, et sa maison, pillée, vandalisée, en refuge pour personnes de passage. Elles arrivaient à la nuit tombante et disparaissaient à la pointe du jour, sans qu'on sût qui elles étaient. Peut-être des survivants aux secousses en quête de chaleur et d'hospitalité. Peut-être... Si au moins on avait pu

---

* Saucisses.

les voir. Au moins constater qu'ils étaient des
humains... Mais personne n'osa approcher de la
demeure, s'informer avec exactitude de la nature de
ses hôtes de fortune. Tant pis si l'on restait sur sa
faim : l'heure n'était assurément pas aux curiosités.
En tout cas, pas de cette nature-là. Le quartier entier
clapotait.

On se limita aux chuchotis. Une question en appelant une autre, on aboutit à celle-ci : Et si c'étaient
des djinns ?

Bien sûr, c'étaient des djinns à la recherche d'une
des leurs... Oui, la djinnia qui naguère avait possédé
le voisin, maintenant détrônée par l'orpheline aux
yeux de velours, la sainte nitouche, quoi !

Et si la djinnia trompée était parmi eux ? Bien sûr
qu'elle était parmi eux. Croyait-elle la trahison
d'Allouchi, puis sa disparition, l'œuvre du quartier ?
Un complot, en sorte. Elle continuerait donc de venir
avec les siens. Elle prendrait sa revanche. Sans doute
aucun. On se trompait peut-être. Comment savoir ?

On décida alors de nettoyer le jardin de Youssef
Allouchi, de cesser de le souiller, les immondices
étant les refuges de prédilection des mauvais génies.
Tout le monde se mit à l'ouvrage, les femmes, les
hommes, les enfants. On désherba la terre, on l'ar-
rosa ; tant pis pour les précieuses réserves d'eau qui
y passaient. On rapporta les meubles et la vaisselle
dérobés.

L'imam, qui pourtant venait de prendre sa retraite
pour se consacrer à la pêche à la ligne, se dévoua et
purifia l'endroit par moult incantations, au lever
comme au coucher du soleil. Sept nuits de suite, des

bougies brûlèrent dans chaque coin de la maison où la djinnia déshonorée avait aimé, et de l'encens balaya les mauvaises odeurs. Durant ces actes répétés, on prit bien garde de ne pas se laisser surprendre par les mystérieux convives. Et peu à peu la maison de notre voisin retrouva ses allures d'autrefois, sembla habitée. Même le rossignol réapparut. On confirma alors que les djinns, qu'Allah nous épargne, que la mort ne survienne pas avant son heure, étaient bien à l'origine de ces troubles.

À cette même période, les visites de mon sage s'espacèrent. Je n'y pris pas garde, ne fis aucun lien avec la quiétude qui pénétrait le quartier et investissait la maison d'en face.

Ainsi s'acheva l'été.

24.

Comme du temps d'Aziz le pêcheur et de sa gloire, et comme si nous avions un homme à la maison, d'un commun accord, l'accès au balcon et à la terrasse fut interdit ; nos volets restaient clos, nos issues maintenant fortifiées. Mais les appels anonymes persistaient.

Sur les conseils de mon visiteur nocturne, je m'armai d'un magnétophone. Avec patience et assiduité, je regardai la télévision à l'affût d'une séquence où un homme dirait allô. Je réussis à enregistrer un comédien dans un film égyptien. À chaque appel, Professeur Invisible, ainsi avions-nous baptisé la voix, poussait d'interminables et virils allô. Si bien que les voisines, qui continuaient de venir chez nous, demandaient, mine de rien, des nouvelles de notre hôte des bords du Nil et, tandis que le doute sur nos mœurs légères se muait en certitude, les appels téléphoniques diminuèrent, puis cessèrent.

Fouzia et Noria limitaient leurs sorties aux courses sur le marché, s'y rendaient sans la ferveur d'autrefois, celle des débuts de notre indépendance ; mes blessures ne guérissaient pas. La fièvre me devint une seconde nature.

La veille de la rentrée scolaire, Noria annonça qu'elle n'irait pas à l'école.

J'étais lasse.

— Moi non plus, dit à son tour Fouzia.

Amina applaudit.

— Bienvenue au club.

Yasmina n'était pas de cet avis. Moi non plus.

— Nous voulons écrire des histoires, annonça Fouzia.

— Comme Ariane ? dit Amina.

— Sché pas à l'école qu'on nous geapprend scha.

— L'école est sur une zone sismique, gémit Fouzia.

— Vous irez à l'école, dis-je.

Mon ordre était indiscutable ; néanmoins, je fis part à mon confident de la volonté de mes sœurs. À mon grand étonnement, il approuva leur décision.

Je m'énervai.

— Mais que vais-je en faire ? C'est de leur avenir qu'il s'agit !

Il marmonna des mots sur le libre arbitre, d'autres sur l'abolition des actes iniques... Que me chantait-il ?

— Je ne peux pas les nourrir toute la vie ! explosai-je.

Les tons pastel de la pièce s'estompèrent. Bientôt il n'en resta pas la moindre trace. J'aperçus alors mon hôte dans une lumière de métal. Et, au fur et à mesure que ma colère augmentait, ses habits blancs viraient au sombre.

– Mais vous savez aussi bien que moi qu'elles sont incapables d'écrire correctement ne serait-ce qu'une lettre, repris-je, un ton plus bas.

Il ne broncha pas ; ses yeux lançaient des éclairs réprobateurs.

– Et puis, poursuivis-je, je suis malade. Bientôt mes yeux n'y verront plus. Je ne pourrai plus broder, ni même repriser une chaussette.

Un vent froid souffla dans mes vêtements. La fièvre me reprenait, et cet homme que je croyais un sage était en train de décliner le destin de ma famille vers je ne savais quelle catastrophe.

Je tentai une explication.

– Si tant est que le Ciel les dote de cette fonction, dis-je en grelottant. L'écriture n'est pas un métier, quelqu'un me l'a un jour dit.

Aucune réaction. Seulement ce regard glacial. Mais que me reprochait-il au juste ?

– Et puis, jusqu'à l'âge de quatorze ans, l'école est obligatoire, continuai-je. Et papa souhaiterait un médecin ou un astronaute dans la famille... C'est encore possible pour Noria et Fouzia.

Là-dessus, il réitéra son argumentation sur le libre choix, fustigea l'arbitraire... Je refusai de me brouiller avec mon ami.

Comme on lance une bouteille à la mer, je dis :

– Pour écrire, il faut avoir de l'instruction. Au moins, un peu.

Soudain ce fut le noir absolu. Je titubai en direction de la cuisine à la recherche du compteur de secours. À mi-chemin, la lumière revint et mon compagnon de nuit n'était plus là.

Je sus tout de suite qui il était. Il était la djinnia déguisée en vieux sage, d'où cette absence de rides. Me confondant avec ma mère, à cause du patchouli, peut-être, elle me prenait pour sa rivale et elle était venue se venger de moi. Démasquée, elle disparaissait. Mais je la soupçonnai de vouloir revenir. Sous quelle forme cette fois ? Je n'en savais rien. De toute façon, je la reconnaîtrais et je ne la manquerais pas.

Je fis dissoudre de l'aspirine dans un bol de tisane. Je bus mon breuvage à petites gorgées et entrepris de retrouver le brasero où notre père brûlait son benjoin. Il me fallait purifier la maison. Ici et maintenant. Demain, je ferais appel à l'imam.

La fumée épaisse du benjoin collait encore aux murs lorsque la sonnette de l'entrée retentit. Il était deux heures du matin. Je fis la sourde oreille. Mais le tintement strident reprit et ne s'arrêta plus, déchiquetant le silence, réveillant les jumelles qui me trouvèrent assise sur le sol, les jambes écartées, le visage pétrifié, les yeux fixant les braises qui maintenant se couvraient d'une fine couche de cendre.

— On sonne, dit Yasmina, les yeux gonflés de sommeil.

— Il est deux heures du matin, lançai-je sans bouger.

— Qui ça peut être ? demanda Amina.

— La djinnia, dis-je sans ciller. C'est pourquoi j'ai encensé la maison. Nous devons le faire tous les jours. Toutes les nuits. L'imam récitera des sourates. Dès demain.

Malgré leur inquiétude, les jumelles échangèrent un regard amusé.

— Tu ne vas pas t'y mettre, toi aussi ? dit Amina.

— Tu ne vas tout de même pas faire comme les voisins, ajouta Yasmina.

On s'acharnait sur la sonnette.

— Jette un œil par la fenêtre et tu verras bien que j'ai raison, dis-je.

— Non ! frissonna Amina.

Il ne fallait pas laisser la djinnia deviner notre peur. Par bravade donc je me levai et poussai une persienne. Je distinguai alors le crâne dégarni d'un homme. Au bruit de la fenêtre qui s'ouvrait, la sonnerie s'évanouit ; le visiteur laissa entrevoir son visage. J'eus un mouvement de recul. Elle était revenue. Sous les traits de mon père. Elle allait vite en besogne.

À son tour, Yasmina regarda par la fenêtre.

— C'est papa ! s'écria-t-elle.

— C'est un piège, dis-je.

Garder son calme. Surtout ne pas ouvrir. Appeler tout de suite l'imam. Mais les jumelles étaient déjà en bas, et les verrous de notre porte blindée sautaient l'un après l'autre. Je semai alors une poignée de poudre de benjoin sur les charbons encore ardents, espérant ainsi éloigner l'intruse.

Il n'en fut rien. Comme notre père l'aurait fait, elle se délecta des exhalaisons. (Une simulation, c'était évident.) Comme notre père, elle nous dévi-

sagea en silence, les yeux muets. Et afin d'effacer
tout soupçon, elle me regarda et demanda :

– Qui est-ce ?

– C'est ton aînée, papa, dirent mes sœurs.

Alors elle m'observa d'un seul œil, tout comme
notre père le faisait après l'assassinat de quelques
bouteilles. Je baissai les yeux avec beaucoup de sou-
mission. Ne dis rien. Il me fallait aussi feindre. Je
serais la plus forte à ce jeu.

– Si c'est elle, elle a bien changé, dit mon père.

Qui n'était pas notre père.

Puis s'affalant, la jambe raide :

– Ça ne peut pas être elle.

– Toi aussi, papa, tu as beaucoup changé, dit
Amina.

Elle n'avait effectivement pas les formes hippo-
potamesques de notre père, ni ses joues adipeuses et
flasques. Elle avait bien d'autres défauts de fabrication, si je puis dire, qui ne trompaient pas. Pas moi,
en tout cas : la jambe de bois, le bâton de pèlerin,
les balafres sur les joues, les traces de brûlures sur
le dos des mains et des bras n'appartenaient pas à
notre père.

Mais tout comme il aurait dit, elle lança :

– Je ne tolère pas que les filles d'Allouchi
m'appellent papa, ni qu'elles m'adressent la parole.
D'ailleurs, il faudra songer à vous en aller de chez
moi. Je ne vais pas indéfiniment loger les rejetons
des autres.

Elle ne supportait pas les enfants de son amant
portés et mis au monde par une autre femme. Moi,

croyait-elle. Plus aucun doute là-dessus. Tout ceci pour une larme de patchouli.

Puis s'adressant à moi :

– Toi l'étrangère, si tu veux demeurer sous mon toit, tu seras mon alliée. Sinon, dehors !

Elle avait bien du toupet. Mais j'acquiesçai, comptant la combattre en m'appropriant ses propres manœuvres ; je les étudierais, les appliquerais sans faille.

– Maintenant, j'ai faim, dit-elle.

J'obtempérai.

Pensant mon père vraiment notre père, les jumelles traînaient les pieds comme des suppliciées et pleuraient en silence.

Je fis chauffer les restes du souper en murmurant :

– Oui, Djidji, tout ce que tu voudras.

25.

Djidji occupa la chambre de nos parents, leur salle
de bains, le canapé d'Aziz le pêcheur déchu, dont
nous n'avions toujours pas de nouvelles. Elle fumait
ses cigarettes mais ne buvait pas de vin. Grossière
erreur. Elle portait ses vêtements. Elle parlait comme
lui, regardait la télévision, tout comme lui, sautant
d'un programme à l'autre, évitant les informations.
Elle insultait les filles tout comme notre père l'eût
fait. De son unique pied – notre auteur, lui, avait
toujours eu deux jambes –, elle renversait tout ce qui
se trouvait sur son passage.

Zanouba et Mahmoud, qui maintenant vadrouil-
laient dans la maison à quatre pattes, recevaient des
coups qui les propulsaient sur les murs, leurs petits
corps étaient couverts de bleus. Bref, l'unijambiste
piquait les mêmes rages que sidi Zeitoun. Et, du jour
au lendemain, sa présence ranima la maison comme
autant d'escadrons. On aurait dit que nous avions un
homme à la maison.

Il y avait des jours où elle ne me lâchait pas d'une
semelle, de plus en plus, elle se fondait dans mon
ombre et n'avait de cesse de me témoigner sa

confiance. (Excellente ruse de guerre.) Elle me racontait sa vie, s'embourbait dans des détails, que je démêlais aisément, faisant mine de l'aider à recouvrer ses souvenirs. En fait, je l'empêtrais davantage. (Tactique de guerre.) Elle insistait sur les chalutiers confisqués, réquisitionnés à cause, précisément, des micmacs et manigances menés contre Aziz le pêcheur, échafaudés par Youssef Allouchi et ses filles dont l'aînée, une certaine Samira (MOI !), devait maintenant faire bon usage de son corps, là-haut, très haut, sur les montagnes.

Puis, à mots couverts, et indiquant l'endroit de son sexe, elle parlait de castration. Plus rien, disait-elle. *Niet*, camarade. Ça lui arrachait des sanglots secs. *Niet. Niet.* Enfin, ça l'obnubilait, etc. Mais que faire ? (Cela au cas où nous viendrions à découvrir son intimité, forcément féminine.) Elle collectionnait les diversions dans ce goût-là, Djidji.

Les rares fois où elle évoquait notre mère, elle parlait de meurtre. Un meurtre prémédité. Donc un assassinat. Il lui fallait amasser suffisamment de preuves pour les envoyer sur l'échafaud. Ah ! ça oui...

En réalité, j'étais son unique ennemie.

Elle se mit alors à chasser mes clientes, prétextant qu'elles étaient les envoyées spéciales de son lettré de voisin venues l'espionner. Je les perdis toutes. Plus de travail. Plus d'argent. Bonjour, la faillite, mais il me restait une sacrée énergie. Ah ! ça oui, Djidji.

Elle usurpait ainsi l'identité et les comportements de notre père pour nous mener à la dérive. Et nous atteignîmes la dérive. Mais ça n'était qu'une bataille de perdue.

La misère forçait nos portes, s'installait en maîtresse des lieux. Nous n'avions plus qu'un repas par jour, des pâtes ou du riz à l'eau, nous en étions à saliver sur une friture imaginaire de sardines ou un croûton de pain imbibé d'huile d'olive. Zanouba et Mahmoud faiblissaient, les filles maigrissaient. Les voisines ne venaient plus, d'abord parce qu'elles aussi pensaient notre père de retour, ensuite parce qu'il n'y avait plus rien à grignoter, plus rien à rafler. Même plus de shampooing, le savon en poudre l'avait remplacé.

À ce moment-là, Khadija réapparut.

Il était midi. Fouzia et Noria étaient à l'école, la préférant aux bourrades et esclandres de leur soi-disant père ; les jumelles prenaient leurs bains ; les nourrissons somnolaient ; Djidji regardait la télévision, fumant, zappant, toussant, zappant, crachant, zappant.

Ce jour-là, je mettais de l'eau sur le feu quand la lourde porte d'entrée claqua. Puis des talons de femme martelèrent les marches de notre escalier, résonnant et provoquant un remue-ménage. L'intruse arrêta la télé, se redressa, aux aguets ; les petits se réveillèrent. Était-ce une cliente ignorant ma retraite forcée ? Je me plantai dans le vestibule, prête à la cueillir avant l'intervention de l'autre.

Elle portait un tailleur vert, la jupe bien au-dessus du genou, les cheveux coupés très court, du rouge à lèvres ravivait sa bouche, du mascara alourdissait ses cils.

— Si vous êtes venue pour l'annonce, elle est caduque, dis-je. Je ne brode plus, ajoutai-je.

Elle m'écarta avec son sac à main.

— Je suis de la famille, dit-elle. Je suis la femme d'Omar.

Je reconnus le timbre de sa voix, puis ses yeux, puis elle. Elle ne me reconnaissait pas. Yasmina et Amina accoururent en peignoir de bain. Devant leur air ébahi, ma belle-sœur laissa tomber son sac, ouvrit ses bras largement et avec aménité.

Elle se mit à tonner :

— *This is me !* Khadija ! *Your sister in law !* Vous ne vous souvenez donc pas de moi, *my very dear* ?

Allant de l'une à l'autre, elle les secouait, les serrait contre elle, les couvrait de baisers. Puis elle recula comme pour mieux les voir, pour constater qu'elle les retrouvait enfin, avec les yeux mouillés des gens partis loin, longtemps, enfin de retour. Quand cessèrent les effusions, elle dit : Mes bagages sont en bas de l'escalier. Puis elle précisa : Ils contiennent des cadeaux.

Les jumelles s'exécutèrent. Telle une furie, ma belle-sœur débaula dans la maison, salua rapidement celui qu'elle croyait être *Her father in law* et continua sa course dans le couloir menant aux chambres, poussant une porte après l'autre.

— *Where is my baby ? Where is Moud ? My little*

baby ? Oh, my love... Mon petit bonhomme... Oh !
you look so moody... Mais je suis là maintenant.

C'était bien Khadija mais tellement différente de
celle qui se voilait de la tête aux chevilles, qui n'éle-
vait pas la voix, qui souriait au compte-gouttes, qui
ne parlait que dans la langue sacrée du Livre, citations à l'appui. Elle rayonnait, belle, contente de
nous revoir. Elle eut bien de la peine à admettre qui
j'étais, me plaignit discrètement, juste ce qu'il fallait
pour m'épargner l'affolement, ou la détresse...

— Il faut te soigner, ma pauvre, dit-elle.

— Ne m'aviez-vous pas intimé le repentir, chère
belle-sœur ?

Elle me prit la main, l'approcha de ses lèvres,
prête à l'embrasser. Mais elle se rétracta et dit :

— Pardonne-moi. Pardonne-moi, je ne savais pas.
Ta mère m'a tout raconté.

— Ah bon ?

— Je te demande pardon. Vraiment.

— C'est pardonné, dis-je.

Elle promit de m'envoyer des antibiotiques, de me
faire venir en United Kingdom consulter des spécialistes du bistouri...

Je souris.

— Envoie-moi une perruque, dis-je.

— C'est d'accord. Comment la veux-tu ? blonde ?
brune ? rousse ? courte ? longue ? frisée ?

Elle trouva son *daddy in law* très amaigri, lequel,
bien entendu, ne la reconnut pas et lui ordonna de
déguerpir au plus vite.

– Encore une envoyée, bougonna Djidji.

De toute façon, Khadija ne comptait pas s'éterniser.

Nous étions dans son appartement, assises autour d'elle, la découvrant comme une nouvelle terre. Elle gava son fils et Zanouba de compote de fruits *made in UK*, leur fit moult chatouillis dans la langue de Shakespeare, puis elle nous apprit qu'elle était revenue prendre son baby, l'emmener outre-Manche où Omar, Nayla et Youssef Allouchi les attendaient dans un *bed and breakfast*.

Elle nous annonça le tout d'un trait, sans ponctuation, les yeux rivés sur Moud qui bredouillait maman à l'une de ses tantes.

Les sourires de bienvenue se crispèrent. Puis le silence s'imposa. Noria et Fouzia se mirent à ronger leurs ongles. Amina se leva, lentement. Elle se tint droite et raide comme un soldat saluant la levée des couleurs. Puis elle inspira profondément, le visage sombre de gravité.

Elle dit :

– Que tu raccourcisses tes robes, que tu te maquilles, que tu voyages seule, ça ne nous regarde pas. Au contraire, nous nous en réjouissons. De même que nous applaudissons enfin les goûts de notre frère. En revanche, les mensonges, nous ne les tolérons pas. Religion ou non.

Puis après une pause et se détendant :

– Okay, baby ?

– Votre mère et son mari sont là-bas. C'est une longue histoire et bien compliquée, mais c'est la vérité, dit notre belle-sœur.

Nos visages laissaient transparaître notre besoin d'en savoir plus long.

Elle poursuivit :

– Allouchi a failli avoir des problèmes à cause d'une pièce de théâtre qu'il écrivait dans le désert. L'histoire tournait autour des origines des séismes, des plaques tectoniques ou quelque chose comme ça. Quelqu'un lui avait subtilisé le manuscrit. Il s'en était aperçu la veille du mariage. Ça l'avait tracassé, évidemment. Il en a parlé avec Omar, qui lui a conseillé de fuir. Il n'avait du reste pas le choix. Votre mère l'a suivi de son plein gré. Elle n'aurait jamais supporté de vivre dans le quartier ; cette histoire de remariage lui faisait tellement honte...

Noria et Fouzia pleuraient. Les jumelles ne pipèrent pas mot.

– Il faut dire que Youssef Allouchi est un homme admirable, ajouta ma belle-sœur. Je crois qu'ils s'entendent bien.

Fouzia se moucha.

– Avons-nous d'autres frères et sœurs ? demanda-t-elle.

– Pas pour l'instant, répondit Khadija. Je ne voulais pas vous en parler tout de suite mais je vais quand même vous le dire : Allouchi a promis de s'occuper de vous. Dès que possible.

– Comment ? demanda Fouzia.

– Par une procédure qui prendra certainement du temps mais qui aboutira...

– Quelle procédure ? dit Amina en serrant les dents.

– Crémieux. Enfin, je veux dire que les décrets

Crémieux avaient fait de sa mère une citoyenne française, ne m'en demandez pas davantage, c'est dans les livres d'histoire. À vrai dire, moi-même je n'y comprends pas grand-chose. Ce qu'il faut retenir, c'est que, grâce à ce mariage avec votre mère, vous serez toutes françaises, nous serons tous français, et ainsi vous pourrez les rejoindre. Si vous en avez envie, bien sûr.

— Mais que faites-vous chez les Anglais si Crémieux est français ? demanda Fouzia.

— Parce que les *bed and breakfast* nous sont gracieusement offerts. C'est aussi une histoire de EEC. (Elle prononce (ıɪcɪ].) Et puis c'est provisoire.

— Une histoire de quoi ?

— De CEE.... Je ne saurai pas trop expliquer. Sachez seulement que ça va s'arranger pour tout le monde. Okay ?

— Et papa ? demanda Noria.

— Qui est malade, enchaîna Fouzia.

— Nous ne pourrons pas le laisser seul, dit Amina. C'est moi qui resterai avec lui, ajouta-t-elle.

— Nous savons pourquoi, dit Fouzia, l'air taquin.

— Parce que papa est un être humain et qu'il est notre père, coupa Amina.

— Et parsche que ton amoureux n'aura pas droit à Crémieux, dit Noria.

— Papa n'est pas papa, murmurai-je.

— Il est vraiment malade, renchérit Amina.

— Vous verrez ça le moment venu, dit Khadija. Puis elle se jeta sur ses valises.

— Et maintenant, les cadeaux ! C'est votre mère et Allouchi qui vous les envoient.

Je regardai ma belle-sœur. Elle ne ressemblait plus du tout à l'amie qu'elle avait été avant de rentrer dans notre famille. Tout d'un coup, je me demandai si Khadija était bien Khadija.

— D'ailleurs, on ne sait plus qui est qui, marmonnai-je.

Elle passa deux jours à faire ses paquets. Au marché noir, elle changea quelques livres contre une liasse de dinars. Elle fit de grandes courses, nous cuisina un couscous gras-double, des tajines d'olives et de pruneaux, des chorbas* de toutes les couleurs, nous céda quelques habits et du maquillage.

— Faites-vous belles, les filles. Sortez, bravez les séismes et les volcans. La vie est trop courte, dit-elle en griffonnant à la hâte l'adresse du *bed and breakfast*.

Elle s'en fut avec son baby, qui allait nous manquer, reniflèrent les jumelles. Elle promit de transmettre notre affection à notre mère, à notre frère et à notre *father in law*. Bien entendu, elle insisterait sur ce que nous endurions. Ainsi le mari de notre mère ferait accélérer la procédure. Ils nous écriraient et tout ça.

— *See you soon, my dearest*. À très bientôt.

Fouzia lui remit un paquet.

— Des cadeaux pour maman, dit-elle.

Noria écrasa une larme.

— Patsouli et tout scha.

---

* Soupe.

– À bientôt.
– Très bientôt.
– Schoun, very schoun, aouar direscht...

Des jours durant, par décision des jumelles, le passage de Khadija demeura un sujet tabou. Elles refusaient de s'accrocher à des espoirs qui éclateraient en illusions. Mais elles écrivaient sans relâche et guettaient le passage de la poste. Qui, récemment engloutie, passait rarement. Quant à moi, je me consumais de remords : Que dire à la prude et voilée Khadija, la vraie Khadija, lorsqu'elle reviendrait chercher son fils ?

Je verrais ça le moment venu. Pour l'heure, il s'agissait d'évacuer de nos murs la djinnia qui se faisait passer pour Aziz Zeitoun. Qui n'en démordait pas. Qui voulait ma peau.

Et nous avions faim.

26.

Je l'épiais. Elle feignait de l'ignorer, mettait ça sur le compte de mon dévouement. Elle abusait de ma docilité, s'en réjouissait. Je l'aidais à faire sa toilette, à prendre son bain ; tout comme ses bras, ses mains et son visage, le reste de son corps était labouré de cicatrices. Et puis ce gros moignon à la naissance de la cuisse. Comment avait-elle pu se faire cette abominable amputation ? Mais bon, elle venait d'un monde où l'amour méritait toutes les mutilations. Je l'habillais et la rasais. Les yeux clos, somnolente, elle tendait bien la peau de son cou, la gorge et la carotide à portée du rasoir. Elle me défiait. Elle m'éprouvait. Mais ça n'était pas mon style, pas le genre de la maison... Je procéderais autrement pour t'éloigner, Djidji, juste t'éloigner, te renvoyer chez les tiens. À jamais.

Quand je finissais de l'asperger d'eau de Cologne, de lui tapoter les joues avec une serviette chaude, elle adorait ça, elle m'embrassait sur le front, puis sur le dos de la main, murmurait d'interminables mercis, louait ses aïeux, bénissait les miens. Elle s'inquiétait de ma santé, me demandait plusieurs fois par jour la cause de ces horreurs sur ma pauvre tête. Un accident, je répondais, laconique.

Alors elle répétait, fixant sa jambe de bois :

– Ah ! les accidents... D'où je viens, il n'arrive que ça, des accidents. Et c'est de loin que je reviens, vous pouvez me croire.

Mon manque d'appétit, en réalité, il n'y avait pas grand-chose à manger, semblait aussi la tourmenter...

– Il faut vous nourrir si vous voulez vous battre avec moi contre cette armada, disait-elle.

Puis me jaugeant :

– Vous êtes bien maigre... C'est parce que vous manquez de dents que vous ne mangez pas. C'est aussi un accident ?

– Sché auschi un acchiident...

Tout comme le vrai faux sage, elle ne mangeait pas, ou très peu, juste ce qu'il fallait pour effacer les doutes. Mais du matin au soir et jusqu'à épuisement, elle soutenait mordicus son appartenance à la famille des Zeitoun, s'en enorgueillissait, évoquait notre défunt et pieux grand-père, sa générosité, son sens de l'honneur, sa fortune acquise à la sueur de son front, ses dons aux pauvres... Puis revenait à la déchéance d'Aziz Zeitoun, aux trahisons et à ses desseins de vengeance.

– Je ne sais pas qui vous êtes, ni qui vous envoie, me disait-elle. Mais sans vous elles m'auraient déjà dépecée. Dès que je me remettrai, vous m'aiderez, n'est-ce pas ?

J'opinais.

Apaisée, le regard lointain, comme si je n'étais plus là, elle poursuivait :

– Ce sont mes ancêtres qui vous envoient pour me délivrer de leurs griffes et sauver mon honneur... Leur honneur.

Elle se mettait alors à rire comme une démente.

– Entre nous, il n'y a plus rien à sauver, point de vue honneur, disait-elle en baissant les yeux sur la braguette du pantalon de notre père.

Puis me regardant et cessant de rire :

– Sauvons nos vies, c'est déjà ça...

Un jour, alors que j'improvisais le repas du soir avec les restes laissés par la femme aux jupes courtes, elle s'écria :

– Ma tante !

Abandonnant son bâton de pèlerin, claudiquant, elle fonça sur moi.

– J'ai tout de suite vu que c'était toi ! Ô ma tante ! quel bonheur de te revoir !

Puis elle se jeta à mon cou et le trempa de larmes. Ça dura une éternité. Les jumelles s'en émurent.

– Il a complètement perdu la raison, dit Amina.

– Il faut faire quelque chose, dit Yasmina.

– Papa n'est pas papa ! m'écriai-je.

– Mais c'est ce que nous disons, dit Yasmina. Papa n'est plus papa.

Elle était vraiment forte. Comment convaincre mes sœurs ? Je n'avais aucune explication rationnelle à leur fournir. J'aurais dû leur présenter le faux vieux sage ; croyant bien faire, je n'en avais même pas parlé. Tant pis. Elle était forte et je n'insistai pas. Il me fallait cependant m'entretenir avec quelqu'un de tout ça. À moi seule, je ne m'en tirerais pas. Il me fallait du renfort. L'imam avait fait le serment de ne plus franchir le seuil de notre maison et, bien sûr, refusait de se parjurer. Santa Cruz ! j'irais à Santa Cruz. Le curé viendrait, lui.

— Il faut absolument faire quelque chose, dit Amina.

— Mais quoi ? demandai-je.

Puis :

— Mis à part l'hôpital, je ne vois rien d'autre.

— On ne va quand même pas l'interner, dit Yasmina. Après ce qu'il a déjà subi !

— De toute façon, elle s'en échappera, murmurai-je.

Yasmina écarquilla les yeux.

— Qu'est-ce que tu dis ?

— Je dis que tu as raison.

À quoi bon ?

Je repris :

— Si l'imam...

— L'imam ? Papa le mettra à la porte illico, s'écria Yasmina.

— Et le curé. Le curé de Santa Cruz ? dis-je.

— Tu es folle ou quoi ? Tu veux le voir en pièces, ton curé ? D'ailleurs, je crois qu'il a déjà disparu dans une secousse.

— Je pense avoir une solution, intervint Amina.

— Nous t'écoutons, dis-je.

— Mon copain, vous savez...

— Je n'en sais rien, coupai-je.

— Enfin, vous êtes toutes au courant que j'ai un petit ami !

Voilà qu'elle m'impliquait dans ses débauches. J'étais hors de moi.

— Ne me dis pas qu'il va t'enlever, que tu vas te faire la belle comme la Belle de ne je sais plus quel seigneur !

Amina soupira et lança un appel au secours à Yasmina.

— Elle a un ami et ce n'est pas la fin du monde, dit celle-ci avec calme.

— Mais pensez-vous parfois aux conséquences de vos actes ?

— Tu n'es tout de même pas notre mère, lâcha Amina.

Je tremblais de la tête aux pieds. Je suais à grande eau. Mais ma voix avait l'amplitude d'un mégaphone.

— Qui te dit que je ne le suis pas ? Qui te dit que je ne vous ai pas enfantées comme j'ai mis bas Zanouba ? Que vous n'avez pas été conçues à l'ombre d'un volcan en fureur ? Dans les tranchées d'une secousse ?

Quand j'eus fini d'agonir, je tournai les talons et m'en fus dans ma chambre.

Derrière mon dos, Amina dit, la voix brisée :

— Mon Dieu, j'espère que c'est de l'humour.

— Ce n'est pas de l'humour, répliqua Yasmina. C'est du délire.

Elles me talonnèrent.

— Nous avons bien conscience de ce que tu as enduré et de ce que tu continues d'endurer, commença Yasmina.

– Nous allons nous occuper de toi et de papa, poursuivit Amina.

– Nous allons faire venir un médecin.

– C'est cela, oui, dis-je.

Je glissai dans mon lit. J'avais besoin de réfléchir et de trouver un allié. Mes sœurs étaient décidément trop naïves.

– On va te soigner, répéta Yasmina en me bordant.

– Les antibiotiques. Avec quoi vous allez les payer ? murmurai-je.

Puis, les couvertures jusqu'au menton :

– Il faut toujours que je pense à tout.

– Nous y avons pensé, dit Yasmina.

Jusqu'à preuve du contraire, le chef de famille, c'était moi.

– Allez-vous faire déblinder nos portes ? rembourser vos dispendieux achats ? Ces toiles, ces pinceaux, ces crayons et ces tubes de peinture ?

– Non, dit Yasmina.

– Que vont donc nous improviser les petites Van Gogh ? Ont-elles déniché de richissimes amateurs dignes de leur œuvre ?

Je me mis à rire, presque comme la Djidji.

– Si tu te calmais un peu, supplia Yasmina.

– Ce serait à vous de vous calmer, dis-je.

Et j'arrêtai de rire.

– Je connais quelqu'un, dit Amina.

– Je sais, dis-je avec résignation. Celui avec qui tu vas te faire la malle.

La voix de Yasmina se fit tout à coup autoritaire :

– Elle connaît juste quelqu'un dont la sœur travaille à la pharmacie centrale. Nous lui en parlerons et la sœur nous accordera une sorte de crédit, dit-elle d'un trait.

Je fixai Amina d'un œil.

– Tu prêches dans la vénalité, dis-je avec une profonde mélancolie. Je te croyais dans le romantisme.

– Je vais préparer une tisane, dit Amina.

Je m'enfonçai sous les couvertures et marmonnai :

– Je veux un brasero et du benjoin, et un imam. À défaut un curé, ou un rabbin, n'importe qui de plus fort que Djidji... Je veux dire que votre père.

Amina sortit à reculons. Yasmina hocha la tête. Je m'endormis.

27.

Quelqu'un entre dans ma chambre. J'ai les yeux fermés mais les pas sont ceux d'un homme. Les jumelles le flanquent. Les chuchotements me parviennent comme d'une grotte.

— La fièvre ne la quitte plus...

plus... plus...

— Elle délire...

ire... ire...

— Elle parle seule....

eule... eule...

— Parfois comme si elle s'adressait à quelqu'un...

elqu'un... elqu'un....

Et cetera... ra... ra... ra...

— Elle appelle notre père Djidji...

DJINNIAAA ! DJINNIAAA ! DJINNIAAA !

— Elle se méfie de lui...

Dji... Dji...

— Un peu normal, après ce qu'il lui a fait...

ACCIDENT ! ACCIDENT !

On ne chuchote plus. On ne dit plus rien. On relève mes couvertures. On me retourne doucement sur le côté. On découvre mes fesses. On les écarte.

On introduit un objet fin et froid dans le trou anal. Je pense à l'apprentie infirmière que je fus. Quelques instants plus tard, on retire le mince objet bien réchauffé.

Les chuchotements reprennent.

– Ça, c'est de la température...

ure... ure...

Puis une aiguille se plante dans ma fesse gauche, ou la droite, je ne sais plus. On me recouvre. J'ai toujours les yeux fermés, mais, là, je dors.

Je ne quitte plus le lit ; je n'ai pas suffisamment de force, les antibiotiques fatiguent mon corps, des croûtes maintenant couvrent mes blessures. J'ai un œil vigilant sur l'intruse. D'ailleurs, elle me facilite bien la tâche, la nigaude : elle vient me voir tous les jours.

Elle continue de m'appeler : ô ma tante.

– Ô ma tante ! tu ne vas pas me faire le coup de la dernière fois, dit-elle à chaque visite. Tu vas guérir. Te relever. Prendre soin de moi.

J'attends en effet de recouvrer la santé pour m'occuper de toi, ma Djidji.

– Plus que jamais j'ai besoin de toi, reprend-elle. Plus que jamais.

Elle pérore. Elle jure. Elle parjure. Elle abjure. Elle se confie. Elle écume. Elle ressasse. Sa langue se lie. Puis se délie. Elle repart sur des sermons. Puis des serments. Elle rebat mes oreilles. Elle essaie de m'anéantir.

Mes yeux se tournent vers elle, se saisissent de son visage sabré, puis descendent sur les flétrissures de ses bras comme autant de sillons labourant ses poils noirs et fournis. Les stigmates de ses mains, la jambe de bois, les joues décharnées : tous les travers de fabrication y sont, et elle continue de se prétendre mon neveu, Aziz Zeitoun.

– Voilà, ma tante, dit-elle. Je sais que ce n'est pas le moment de te parler de ça, vu ta santé, mais il faut que tu le saches, pour au moins te préparer à l'idée.

Elle rajuste sa jambe de bois. Elle racle sa gorge. Elle tripote sa moustache, puis la gratte intensément. Elle me regarde de biais. Elle prend la voix d'un adolescent.

Elle dit :

– Il va falloir me remarier.

Elle ne lésine sur rien pour me désorienter. Mais je reste lucide. Je souris un peu. Ça la rassure.

– Vois-tu, ma tante, poursuit-elle. À présent je suis veuf. Veuf et ruiné. Spolié. Trahi... Enfin, tu sais tout ça...

Elle pleure. Elle sanglote. Elle hoquette. Elle renifle. Elle se mouche. Elle essuie ses larmes.

Elle dit, solennelle :

– Je te charge, ma tante, de choisir la fiancée. Je voudrais une femme pour m'épauler, pour retrouver ma dignité. Ta décision sera la mienne, ma tante. Vieille, laide, infirme, si tel est ton choix, je suis preneur. J'en fais le serment. Sur ta tombe, ma tante.

Voilà qu'elle se dévoile mais très vite elle se ressaisit :

– Je veux dire, sur ta vie, ma tante.

Mais elle s'inquiète. Peut-être l'ai-je démasquée,

une fois de plus, comme quand elle apparaissait sous les traits du sage. Je ne relève pas.

Elle élude :

– D'ailleurs, je n'aurai jamais plus d'enfants. Ils m'ont dépouillé de mon matos...

Je la sens sur le point de rire mais mon air sévère la dissuade.

Elle dit :

– Tu veux humer un peu de benjoin, ma tante ? J'opine.

Elle tourne la tête vers la porte. Elle essaie de vociférer, mais sa voix est frêle.

– Le brasero et du benjoin. Et que ça saute.

Elle tousse, crache dans son mouchoir.

– Nous sommes soignés par le même médecin, reprend-elle. Si nos ancêtres le veulent bien, nous guérirons le même jour... Et ils le voudront ; ils me sont favorables à présent. Ils n'ont plus aucune raison de m'en vouloir, aucun prétexte de m'ignorer et encore moins de m'affliger. Vois-tu, ma tante, peut-être l'avais-tu constaté par toi-même, je n'avale plus une larme de vin, j'en ai perdu jusqu'au goût. Tu t'en rends compte, ma tante ? Sevré. C'est tout ce que j'aurai gagné. Enfin, comme dit la souris après avoir pissé dans la mer, c'est toujours ça de fait.

Elle rit un peu.

Elle continue :

– Nous guérirons. Comme tu le sais, ma tante, j'ai foi en la médecine. La dernière fois, si tu m'avais écouté, si tu avais accepté cette opération, tu ne serais pas partie et rien de ce qui est arrivé ne serait arrivé... Ah ! mais, à propos, aurais-tu finalement cédé ? T'aurait-on fait cette maudite ablation de la vésicule ? C'est pourquoi tu es de retour à la maison ?

Elle me prend vraiment pour une demeurée. Sinon, elle s'applique à me faire disjoncter. Je la regarde furtivement : j'ai bon dos, Djidji, et ma vésicule est en moi, et de la bile, elle en produit. Elle en produira tant que tu rôderas autour de ma famille.

– C'est de la vieille histoire, tout ça, relance-t-elle. Maintenant, c'est de l'avant qu'il nous faut aller. Seulement, prends garde à toi, ma tante. Ne fais pas confiance aux filles d'Allouchi. Elles font les gentilles, les obéissantes et tout ça. Mais ne t'y fie pas, ne leur parle surtout pas de mon futur remariage. Car, bientôt, ces bâtardes se montreront sous leur vrai jour. Quoique, Dieu merci, la plus dangereuse, tu sais, la meneuse qui dort n'importe où, avec n'importe qui, n'est plus ici.

Le brasero fumant arrive. Elle se lève. J'ai l'air soupçonneux. Malgré moi. En tout cas, elle le voit. Alors elle me lance un clin d'œil derrière le dos de Yasmina.

Elle dit :

– Tu sais bien combien j'aime le benjoin, mais j'ai besoin de me reposer un peu. Je te laisse réfléchir au projet que tu sais.

Je murmure :

– Bien sûr, prunelle des yeux de mon frère.

Elle clopine jusqu'à la porte, sa jambe de bois sonne sur le carrelage du couloir, couvre les sanglots des jumelles englouties dans la fumée blanche.

28.

Enfin des cicatrices, vulgaires, certes, mais preuves irrécusables de ma guérison. Plus de fièvre, plus de cauchemars... L'homme qui me piquait les fesses cessa de venir. Un autre l'avait remplacé mais espaçait ses visites. Il était plus bavard que le premier ; il posait des questions sur tout ; il voulait connaître mes rêves, mes peurs, mes désirs aussi... Il se prenait pour Freud ou pour le marabout le plus couru de la région. Je lui répondais de façon prosaïque, souvent l'esprit à mille lieues d'ici. J'éprouvais parfois le besoin de lui parler de l'intruse, de ses plans machiavéliques... Je n'en fis cependant rien : il me fallait un imam et du benjoin, non pas les comprimés roses et blancs déglutis sous son œil compatissant. Car on me croyait toujours malade et j'entendais le laisser croire.

Je pouvais me lever du lit, marcher jusqu'à la fenêtre, je pouvais aussi quitter ma chambre, la maison, la ville, le pays, le continent, aller loin, très loin, au nord, où c'est noir et blanc, vivre avec les loups. Mais je ne voulais pas qu'elle sût que j'allais bien. Car elle aussi continuait de boiter, de maigrir, ses visites se raréfiaient. Bref, elle se faisait passer pour malade. Nous en étions à user des mêmes ruses, même dans la haine, le côtoiement engendre des ressemblances. Mais contrairement à moi, qui conservais toute ma clairvoyance, parfois elle s'oubliait et se trahissait. Ne pouvant résister au rappel de sa féminité, elle enfilait une robe de ma mère, rasait de près sa moustache et allait dans toute la maison, investissait la terrasse. Elle hurlait la perte de sa virilité, son honneur bafoué, les retournements de notre grand-père dans sa tombe... Alors le médecin la piquait et elle se recouchait.

Dès le lever du jour, je me mets devant ma fenêtre. Mes yeux cherchent la mer ruisselante des lueurs du matin mais ne la voient plus. Ou si peu. Je ne perçois qu'un lambeau de bleu qui s'échappe d'entre les constructions qui ne cessent de s'ériger. Vendue depuis peu, la petite maison d'en face s'est transformée en grande bâtisse. Tant pis pour le bleu de la mer, il me reste celui du ciel.

Des heures durant, je me satisfais du mouvement de la rue, j'écoute son grouillement, je m'y attache comme au chant des cygnes. Les enfants qui tapent sur un ballon, leur chahut qui se meurt au crépuscule, les volets qui claquent au même moment. Puis le silence qui étreint la rue. Puis la nuit qui réveille les grondements de la terre et les cris des femmes et des enfants. Et le silence du rossignol. Le sommeil me boude, je l'implore, mais il s'entête et m'abandonne. Yasmina et Amina me font alors la lecture. Yasmina

lit des lettres, Amina des livres. Je ne saisis rien.
C'est ce qui m'endort.

Ce matin, la poste est passée. J'ai vu le facteur
avec sa sacoche qui lui battait la hanche et un gros
paquet jaune sous le bras. Puis je l'ai entendu sonner.
Puis des cris de joie ont soulevé le sol.
   L'instant d'après, les jumelles foncent dans ma
chambre. Yasmina porte le paquet. Elle le pose sur
mon bureau. Elle frétille. Elle le montre du doigt. Il
est recouvert de plusieurs timbres rouges ; une ficelle
le tient solidement fermé.
   — Un colis de maman ! glapit-elle.
   — Ouvre, dit Amina.
   — Nous attendrons Fouzia et Noria, dit Yasmina
en recouvrant son calme.
   Amina serre les poings. Elle trépigne.
   — Ouvre, supplie-t-elle.
   Elle m'exaspère.
   Yasmina fait preuve de beaucoup de retenue.
   — Plus que quelques heures, susurre-t-elle.
   Et si c'est un colis piégé ?
   — Laissez ce paquet où il est, et éloignez-vous
d'ici, dis-je brusquement. Allez dehors, dans le
jardin, le plus loin possible. N'oubliez pas Zanouba.
   Yasmina dodeline de la tête. Elle est lasse.
   — C'est moi qui ouvre ce paquet, dis-je.
   Puis j'explique :
   — Il est sûrement piégé.
   — Il ne peut pas être piégé, rétorque Yasmina. Il
vient de maman.

L'expression de Yasmina révèle bien ce qu'elle pense de moi.

– Je ne suis pas folle.

Au-dehors, une voiture freine dans un crissement de pneus. Puis un cri d'enfant.

– Ce colis ne peut pas être piégé, insiste Yasmina.

– On n'est jamais trop prudent, murmuré-je.

– S'il est vraiment piégé, tu sauteras avec, dit Amina.

Je hurle :

– Ça ne te regarde pas !

– Et les mandats sont piégés, eux aussi ? hurle à son tour Amina.

– Quels mandats ?

– Les mandats qui nous nourrissent, qui paient les médicaments et les médecins.

– Je ne suis au courant de rien, dis-je.

Des femmes courent dans la rue. Elles implorent le Ciel. Puis un murmure indique qu'elles Le remercient, Le louent. L'enfant est sauf.

Sans mot dire, Amina ouvre le tiroir de mon bureau. Elle sort une paire de ciseaux. Elle coupe la ficelle. Yasmina laisse faire. Je serre les paupières. Aucun bruit ne se produit. Même la rue se noie dans un éphémère silence. J'inspire profondément.

– Il y a une perruque pour toi, dit Amina.

J'expire. J'ouvre les yeux. Je vois une tignasse rousse qui dépasse de sa boîte.

– Tu veux l'essayer ? demande Yasmina.

– Je n'en veux pas, dis-je. C'est sûrement fabriqué avec les poils d'un caniche. D'ailleurs, ça sent le chien.

Puis :

— Qui nous envoie des mandats ?

— Maman et Allouchi, voyons !

— À la place des décrets Crémieux ?

— Dans une des lettres, ils disent que c'est pour bientôt, dit Amina en farfouillant dans le paquet.

— Pour quand ?

— Ils ne précisent pas.

— Je savais que cette femme nous racontait des salades.

Je simule un bâillement. Mes sœurs quittent ma chambre. Elles n'oublient pas le paquet.

Je ne la vois plus, je n'entends ni sa voix ni son pas inégal sur le carrelage. Je guette son arrivée. En vain. L'homme qui pose des questions se fait de plus en plus rare. C'est Yasmina maintenant qui me donne les comprimés roses et blancs, parfois d'autres gélules. Personne ne parle d'elle. Je ne pose pas de questions. Peut-être n'est-elle plus ici ? A-t-elle enfin renoncé à la lutte et rejoint les siens ? C'est peut-être pour ça que Fouzia et Noria ne vont plus à l'école. Ces derniers jours, ce sont elles qui apportent mes repas. Je sens les jumelles affairées. À quoi ? Elles ne le disent pas.

— C'est déjà les vacances ou est-ce qu'on entame sa petite carrière de romancière ? dis-je pour les mettre en confiance.

Noria et Fouzia hochent frénétiquement la tête. Elles ont les yeux rouges.

— Vous êtes malades, alors ? Une grippe ?

— Non, c'est papa qui est très malade. Il ne se

lève plus. Il a du mal à respirer. Il y a plein de vers qui sortent de sa chair.

– Le docteur appelle scha des eschcarres.

Le papier peint de ma chambre gondole ; il se décolore ; les fleurs ne sont plus que des taches sans forme ; les tentures qui pendent à ma fenêtre me révulsent aussi. Je les remplacerai par d'autres que je broderai moi-même : elles seront de velours bleu orné de fil d'or et d'argent. J'enlèverai le papier des murs et les ferai peindre en blanc ivoire.

Fouzia réprime un sanglot.

– Des escarres, dit-elle.

– Pardon ?

Elles ne répondent pas. Elles se frottent les yeux et reniflent un peu. Bizarrement je ne me gargarise pas de ce premier pas vers la victoire. Il me faut attendre un peu.

– Vous pleurez ?

– Non...

– C'est-à-dire qu'on a du chagrin.

Je ne veux pas qu'elles aient du chagrin. Je ne veux pas que ma famille ait de la peine. Elle a déjà eu son lot de souffrance. Suffit !

– Il ne faut pas, dis-je.

Alors elles éclatent franchement en sanglots. Leur dire la vérité les consolera. Tant pis si elles ne sont que des enfants. D'ailleurs, je trouve qu'elles mûrissent bien vite. Et puis les histoires de génies, surtout les mauvais, ne leur sont pas étrangères.

– Je vais vous confier un secret.

Puis :

– Si vous acceptez mes conditions.

Elles cessent de pleurer.

– D'accord ?

Elles acquiescent. Mais le secret semble les laisser indifférentes. Croient-elles que je ne le dirai pas ? Ou alors appréhendent-elles les conditions ? J'attends un signe d'impatience qui ne vient pas. Aujourd'hui, la soupe est très bonne. J'avale la dernière cuiller, racle le fond de l'assiette.

– Qui a préparé la soupe ? demandé-je.

– Les jumelles, dit Fouzia.

– Elle est excellente.

Elles agréent machinalement. J'essaie d'exciter leur curiosité.

– Fermez la porte, dis-je.

Noria se lève avec un mouvement de lassitude. Elle pousse la porte en soupirant. Comme une adulte.

– D'abord les conditions, annoncé-je.

Puis :

– Vous irez chercher l'imam. S'il refuse, vous irez à Santa Cruz, vous demanderez le curé. Lui ne refusera pas. Qu'il vienne avec le nécessaire à exorcisme. Comme dans le film... D'accord ?

– D'accord...

– J'ai votre parole ?

– Oui, disent-elles.

– Maintenant voici le secret.

Je lâche :

– Papa n'est pas papa.

Je raconte tout : les visites du vrai faux sage, sa soudaine disparition suivie de l'arrivée immédiate de l'unijambiste, ses confidences, la soi-disant émasculation. Khadija qui n'est pas Khadija. Tout. Même les femmes-hommes...

Elles m'écoutent sans broncher. Je n'ai pas réussi à les égayer, mais mon récit ne semble pas les étonner : elles me croient. Je soupire de soulagement : elles tiendront parole.

J'insiste encore :

– L'imam ou le curé la fera disparaître pour de bon, vu qu'elle commence à se décomposer. Sinon, elle renaîtra sous une autre forme et elle nous remettra ça.

J'ajoute :

– Les djinns, c'est comme les sphinx. Ne l'oubliez jamais.

Yasmina entre avec un verre d'eau et les comprimés. Je la complimente sur la soupe. Elle me tend le verre puis les comprimés. Avant de les avaler, je lance un discret clin d'œil à Noria.

Mes sœurs ont tenu leur promesse. Non seulement elles ont fait venir l'imam, mais, je crois, toute la ville : deux jours plus tard, la maison grouillait de monde. Des femmes et des enfants ont envahi ma chambre. Les femmes me regardaient en inclinant tristement la tête, les enfants restaient bouche bée. Les jumelles les faisaient sortir. Elles ne voulaient pas que je sois dérangée. Ces femmes ne me dérangeaient pas. Au contraire, je voyais en elles de futures clientes. Mais je ne protestai pas. J'attendais que tout fût fini pour annoncer ma guérison.

Pour le dîner, il y eut du couscous au mouton. Les hommes récitèrent des prières jusqu'à l'aube. Le télé-

phone n'arrêtait pas de sonner. Le lendemain, je ne
bougeai pas de la fenêtre. Sur les coups de midi, un
homme et une femme vinrent dans ma chambre. Ils
avaient les yeux gonflés, comme s'ils souffraient
d'un grand manque de sommeil.

– Viens dire adieu à ton père, me dit la femme.

L'homme était le frère de notre mère. Je le
reconnus malgré ses rarissimes visites chez nous,
autrefois, quand il habitait encore la ville. Son
épouse était laide. Je détournai les yeux. Je fixai la
rue, attendant l'apparition du marchand ambulant.

– Laissons-la, dit mon oncle.

Une heure plus tard, je vis le cortège. La foule
noire cacha le bout de bleu, puis disparut dans un
tournant. Le chant du muezzin s'éleva. Le soleil était
à son zénith. Je remerciai le Ciel en pleurant. Ça
faisait longtemps que je n'avais pas pleuré.

29.

Jeudi qui vient, c'est le printemps. Je sortirai alors de ma chambre. Pour l'instant, je m'organise. Il me faut tout recommencer de zéro : rédiger l'annonce, l'envoyer au journal ; rappeler mes clientes. Racheter un métier à broder, je ne retrouve pas le mien. Je n'oublierai pas de changer mes tentures, de faire repeindre mes murs. Et, dès que l'argent affluera, je transformerai toute la maison. À mon goût. Tant pis si mon père et ma mère n'aiment pas. Ils n'avaient qu'à être ici. D'ailleurs, nous n'avons toujours pas de nouvelles. Bien sûr, les voisins croient que notre père était en tête du cortège. Ils croient ce qu'ils veulent, les voisins, pourvu qu'ils nous laissent en paix.

Ce matin, Yasmina est restée longtemps dans ma chambre. Elle m'a regardée rédiger l'annonce, la relire, la réduire en boule, puis la lancer dans la corbeille.

— Tu veux un coup de main ?
— Non, non, dis-je. Ça ira.
— Tu dictes et j'écris, dit-elle.

Je crie :

— Non !

Je recommence, mais je n'ai plus d'inspiration. Je renonce. Je tremble un peu. Il fait froid. Le printemps tarde à venir. Je m'énerve. J'oublie quelque chose. Mais quoi ? Je tourne en rond. Je ferme la fenêtre sur les bruits de la rue. Je tire les rideaux. Yasmina m'agace à me regarder de la sorte. Elle irrite encore plus mes nerfs quand elle me tend les comprimés roses et blancs avec le verre d'eau. J'avale le tout.

Mais je dis :

— Tu sais pourtant que je suis guérie.

— Je sais.

— Combien de fois devrai-je le répéter ?

— Il faut juste que tu termines le traitement, dit-elle. C'est l'imam qui l'exige, ajoute-t-elle.

Bon. Puisque c'est l'imam. J'aurai peut-être besoin de lui, celui-là. On ne sait jamais. Enfin, touchons du bois. Ma table est en Formica. Mon lit en fer forgé. Mon armoire est en bois, mais elle est vieille et pullule d'acariens. Je me débarrasserai de tout ce rebut. Je conjure le sort en crachant dans mon corsage. À la bonne vieille mode de chez nous.

Je rentre dans mon lit. Yasmina ne sort pas. Je me retourne sur le côté. Je lui donne le dos. Mais elle reste. Je sens qu'elle veut m'annoncer quelque chose qui va me contrarier. Je grelotte.

— J'ai froid.

Yasmina est en T-shirt et petite jupe. Elle pose une couverture sur mes jambes.

— Ferme la fenêtre, dis-je.

La fenêtre est fermée, mais Yasmina fait semblant de la fermer. C'est sûr, elle va m'annoncer quelque chose de désagréable.

Elle dit :

– Tu dors ?

Nous y voilà.

– Nous sommes convoquées à l'ambassade de France, lâche-t-elle.

Je me redresse.

– Qu'a-t-on fait ?

– Nous n'avons rien fait. Nous sommes convoquées pour retirer nos passeports.

Entre Amina. Elle a une boîte dans les mains. Elle l'ouvre, en sort la perruque en poil de chien.

Elle sourit.

– Nous devons nous présenter avec des photos et des extraits de naissance.

– J'ai déjà mon passeport, dis-je.

Suit alors Fouzia, une robe fraîchement repassée sur le bras. Noria, elle, exhibe avec fierté une paire de chaussures méticuleusement cirées.

Puis comme on crie : Surprise, d'une même voix, elles lancent :

– Crémieux !

Mes oreilles en sont assourdies, je les bouche avec la paume des mains. L'agitation s'arrête. Je croise alors les bras. J'observe mes sœurs. Ce ne sont que des enfants ; leur crédulité, ces espoirs, cette joie, tout me brise, me déchire.

– Je m'en fous de Crémieux, dis-je enfin. Je veux broder, gagner de l'argent, arranger la maison, m'occuper de vous. Comme avant.

– Mais nous reviendrons, dit Amina.

– Sché sche qu'elle a promis à schon fiansché, dit Noria.

– Que dit l'imam ? dis-je.

– Qu'il les mariera dès que possible, annonce Fouzia.

Je les foudroie du regard.

Je précise :

– Que dit l'imam à propos de Crémieux ?

Yasmina toussote.

– Il dit qu'il vaut mieux partir. Que des filles seules dans une grande maison...

– Sait-il au moins pour Professeur Invisible, la voix qui dit allô ? Ça avait bien marché, non ? Et qui justement va garder la maison ?

– Elle est blindée.

– Qui va accueillir papa ?

Là-dessus, elles ne trouvent rien à répondre.

– Il faut toujours que je pense à tout, dis-je avant de me recoucher.

Le printemps est arrivé. Même que c'est déjà l'automne. Je le vois aux feuilles des arbres qui ne cessent de jaunir. Comme dans les livres où les saisons se distinguent par les couleurs et les lumières.

Les murs de ma chambre sont blancs. Très blancs. Je les voulais ivoire. Mais bon, on s'y fait. Je n'ai pas fini de broder les tentures de velours bleu. Il faut dire que ça prend du temps, c'est astreignant, une broderie de cette envergure. De toute façon, ces tentures n'iront pas sur ma fenêtre étroite et trop haute. En plus, ils ont posé des barreaux. Pourquoi des barreaux ? ai-je protesté. Pourquoi des barreaux alors que les volcans ne rugissent plus ? Que la terre ne s'ouvre plus ?

Décidément ces ouvriers qui doivent me ruiner ne comprennent rien. Du coup, je ne peux plus regarder la rue. Je n'entends plus les cris des enfants, du marchand ambulant, les chants du muezzin. Seulement les gémissements du vent quand vient la nuit.

La journée, c'est le silence. Ça m'aide à réfléchir. Je réfléchis beaucoup en regardant un bout de ciel et en attendant les réponses à mon annonce. Il va falloir que j'en écrive une autre.

Mes sœurs ont engagé une femme pour s'occuper de moi. Elles doivent la payer avec les prétendus mandats envoyés par notre mère et son mari. Je n'en crois pas un mot. Je soupçonne Amina de se faire entretenir par son fiancé. Je suis sûre que nous sommes redevenues le sujet de médisance du quartier.

La femme qui s'occupe de moi est très bien : discrète, souriante, juste ce qu'il faut, propre, toujours de blanc vêtue, mais elle parle peu ou bien seulement le français. D'ailleurs, elle ressemble aux femmes de la télé.

Mes sœurs et ma fille viennent moins souvent dans ma chambre. Elles ont compris que leur présence me dissipe, que je n'arrive même plus à rédiger correctement une fichue annonce. J'en perds l'appétit et la parole. L'angoisse de ne pouvoir remettre mon petit commerce en route m'étouffe.

Un jour elles ont poussé ma porte accompagnées par des étrangers. Deux femmes et deux hommes. Je ne suis jamais contente de voir des étrangers. Je m'en

méfie comme j'aurais toujours dû le faire. J'ai
détourné les yeux, en signe de protestation, et, tout
le temps de leur présence sous notre toit, j'ai fixé
tantôt le mur tantôt un bout de bleu qui se découpait
dans les feuillages. Alors mes sœurs ont commencé
à dire n'importe quoi, à mentir. Une nouvelle et bien
fâcheuse habitude. Il y a quelques jours, elles m'ont
annoncé la naissance d'un enfant chez nous. J'ai dû
fulminer pour qu'elles avouent leur mensonge.

Passons.

Elles ont donc fait passer une des femmes pour
notre mère, l'autre pour notre belle-sœur, un des
hommes pour le mari de ma mère, le deuxième pour
Omar. Notre soi-disant mère portait un jean moulant,
une chemise blanche échancrée et des talons hauts.
Elle était à visage découvert et impeccablement
maquillée. Elle ne sentait pas le patchouli. Elle sentait quelque chose de bon mais de très différent.
Qu'elle se travestisse de la sorte, qu'elle change de
parfum, qu'elle soit à l'aise avec les deux hommes...

Passons et prions.

Mais que notre mère, Nayla Zeitoun ou Allouchi,
quel que soit son nom maintenant, que notre mère
donc ait des élans de tendresse, des mots affectueux,
de l'intérêt dans la voix et dans les yeux... Notre
mère à qui personne n'a enseigné les gestes et les
mots de l'amour... Vous je ne sais pas, mais moi j'ai
l'impression qu'on me prend pour une bille.

Sidi Bou Saïd,
Wiepersdorf,
Zurich.

Imprimé en France sur Presse Offset par

BRODARD & TAUPIN

GROUPE CPI

7983 – La Flèche (Sarthe), le 20-06-2001
Dépôt légal : juin 2001

POCKET – 12, avenue d'Italie - 75627 Paris cedex 13
Tél. : 01.44.16.05.00